DU JOURNALISME
APRÈS BOURDIEU

DU MÊME AUTEUR

Tout va très bien, monsieur le ministre, Belfond, 1987.
Où sont les caméras ?, Belfond, 1989.
La Disparue de Sisterane, roman, Fayard, 1992.
Arrêts sur images, Fayard, 1994.
Anxiety Show, Arléa, 1994.
Nos mythologies, Plon, 1995.
L'Étrange Procès, Fayard, 1998.

En collaboration avec Laurent Greilsamer

Un certain Monsieur Paul : l'affaire Touvier, Fayard, 1989.
Les juges parlent, Fayard, 1992.

Daniel Schneidermann

Du journalisme après Bourdieu

Fayard

Prologue

Autant l'avouer d'emblée : moi aussi j'ai longtemps courbé la tête.

Vous m'avez bien culpabilisé, Pierre Bourdieu, comme vous avez magistralement réussi à culpabiliser tous mes confrères. Des esclaves inconscients soumis à l'urgence, aux bas appétits du public et à l'argent : tel est, brossé par vous, le triste portrait des journalistes d'aujourd'hui.

Vous n'êtes certes ni le seul ni le premier à nous tendre cet épouvantable reflet. Les journalistes sont habitués aux attaques. Sans remonter aux « illusions perdues » de Balzac, quiconque subit la moulinette des médias se transmue presque instantanément en imprécateur des médias. Que les coiffeurs, les chefs de gare, les syndicalistes, les indépendantistes corses, les chasseurs accablent de leur vindicte les journalistes, coupables de ne pas rendre justice aux indépendantistes corses, aux chasseurs, aux syndicalistes ou aux chefs de gare, était dans l'ordre des choses. Timisoara, la guerre du Golfe sont depuis dix ans comptés à charge de toute la corporation. Mais la rudesse de votre charge, votre constance dans l'attaque et son écho dans le public nous ont désarçonnés.

Et puis, vous nous foudroyez du haut d'un terrifiant empyrée. Titulaire de la chaire de sociologie au Collège de France, vous trônez au sommet de la hiérarchie universitaire française. Et c'est au nom du Savoir et de la Science que vous avez identifié chez le monstre médiatique, dans un livre auquel je me réfèrerai souvent[1], les ennemis à combattre : Urgence, Simplification, Suivisme, Présupposés non explicités, Pensée unique, Audimat et Sensationnalisme, Connivence, Cynisme, Autocensure. Quelques mois plus tard, vous publiiez dans la même collection un deuxième pamphlet du journaliste et enseignant Serge Halimi[2], réjouissant jeu de massacre contre la trentaine de journalistes-vedettes multicartes, suppôts de la pensée unique, qui cumulent dans la presse parisienne les directions et les éditoriaux.

Croit-on que la corporation se serait défendue ? La pauvre ! Elle tenta de bafouiller quelques arguments. Mais la grêle bourdieusienne redoubla alors : quels mauvais joueurs, ces journalistes ! Regardez-les profiter de leurs journaux pour défendre leur petite cuisine, leur petite boutique ! Ayant donc réalisé que chacun de ses soubresauts resserrerait autour d'elle le lacet, elle se tut et courba la tête.

Pas un journaliste un peu conscient de ses responsabilités, en France, aujourd'hui, qui ne crève de honte. Honte d'aller trop vite. Honte de simplifier outrageusement des questions si délicieusement complexes. Honte de s'autocensurer. Honte de chercher à accrocher son lecteur ou son téléspectateur.

---

1. Pierre Bourdieu, *Sur la télévision*, Paris, Liber Éditions, 1996.
2. Serge Halimi, *Les Nouveaux Chiens de garde*, Paris, Liber Éditions, 1997.

Honte de privilégier l'anecdote sur le « fond ». Honte d'écrire la même chose que ses confrères. Honte de participer à la « circulation circulaire de l'information ». Honte de sa connivence avec les puissants. Honte de ce qu'il écrit. Honte de ce qu'il n'écrit pas.

Comment n'aurions-nous pas été foudroyés par les éclairs qui illuminaient la montagne Sainte-Geneviève ? Les journalistes entretiennent avec vous une relation ambivalente, tissée d'un irrépressible énervement, d'un évident complexe d'infériorité, et d'une soif de reconnaissance. Nous sommes ressortissants d'une catégorie moins légitime que la vôtre. Vous êtes le Savoir, nous ne sommes que le vent, qui gifle les ponts et les plaines, et laisse la désolation derrière lui. Nous le savons. Dès lors, cette culpabilité nous piège. Pour tenter de nous approprier un peu de votre légitimité, et échapper au reproche permanent de censure, il nous fallait accorder place et considération à vos thèses, vous ouvrir colonnes et antennes. Ainsi devîntes-vous l'imprécateur des médias le plus médiatisé de tous les temps.

Entendons-nous. Certes, la critique des médias me paraît plus indispensable que jamais. Jamais nous n'enquêterons assez sur nous-mêmes. Les journalistes ne sauveront leur crédibilité mise à mal qu'en dévoilant leurs propres pratiques, en traquant dans leurs rangs le moindre soupçon de soumission à l'argent et à l'urgence, en braquant leurs puissants projecteurs sur les distorsions qu'ils infligent à la réalité. Ce « méta-médiatique », encore embryonnaire, n'est pas seulement une nécessité. C'est aussi une branche prometteuse, giboyeuse, enthousiasmante, de l'avenir du journalisme.

Cette mission critique des médias n'incombe d'ailleurs pas seulement aux journalistes. Ils ont au contraire tout à gagner en acceptant de se soumettre aux études rigoureuses des universitaires et des chercheurs. Les mots des journalistes, les thèmes qu'ils choisissent, les sujets qu'ils « oublient », leur hiérarchie de l'information, leurs complaisances : jamais sociologues, sémiologues, statisticiens ne mettront assez tout cela en chiffres, en classifications, en fiches, jamais on n'en dévoilera assez efficacement les ressorts.

Mais il me semble que les médias, comme tout autre mis en examen, ont droit à un traitement médiatique équitable. Les lynchages m'ont toujours répugné, et aujourd'hui le journalisme lui-même me semble victime d'un lynchage médiatique. Sous couvert de recherche scientifique, en effet, votre critique des médias, et celle qui s'inspire de vous, encourt les mêmes reproches qu'elle adresse aux médias : instinct grégaire, accusation sans preuve, généralisation hâtive, focalisation sur quelques cibles faciles, utilisation effrénée de la promotion, sens de la formule qui tue pour s'assurer le plus grand impact. Cette campagne antimédias me semble donc devoir être soumise, comme toute autre campagne médiatique, à une contre-enquête et à la critique.

Je vais m'y efforcer ici. Pour ce faire, je vais transgresser une règle sacrée du métier : je vais dire « je ».

En effet, je vous ai bien écouté, Pierre Bourdieu. Et parmi les projectiles divers que vous nous envoyez à la figure, j'en ai discerné un, redoutable : nos présupposés. Sous l'apparence de la fameuse « objectivité » journalistique, nous serions, comme tout un chacun, les marionnettes de nos *présupposés*.

Vous avez évidemment raison. Pratiquons au scalpel une coupe dans le cerveau d'un journaliste : nous y trouverons des milliers de présupposés. Comme les boulangers, les commissaires de police ou les ménagères de moins de cinquante ans, nos présupposés nous dictent nos actes, nos éditoriaux, nos reportages. Or, nous devrions être la catégorie sociale la plus apte à prendre conscience de ses présupposés. Un présupposé remonté à la surface à la force du poignet, auto-formulé, avoué à soi-même, cesse d'être un présupposé pour devenir un parti pris conscient, délibéré, et fièrement assumé – ou combattu.

Mais l'exercice nous est rude. La raison en est simple. À la base de toute vocation de journaliste, se trouve un certain renoncement à l'affirmation de soi. Être journaliste, c'est-à-dire observateur, c'est d'abord accepter de s'effacer, une vie entière, devant les acteurs de l'actualité. Le journaliste accepte de ne pas gouverner les hommes, de ne pas déclarer la guerre, de ne pas signer les décrets, de ne pas nommer les présidents-directeurs généraux. Il se contente d'observer de près, de si près qu'il pourrait les toucher, ceux qui accomplissent ces grandes choses. Il renonce aussi à être écrivain, c'est-à-dire à se considérer comme un sujet intéressant, et à écrire sans la secourable béquille de la réalité. Il accepte de passer une vie entière à ne pas créer d'œuvres durables, à mépriser la postérité, à écrire pour être lu dans le métro ou être regardé au-dessus d'une table de déjeuner.

Et voilà les journalistes sommés par vous, comme un policier leur demanderait leurs papiers, d'« expliciter leurs présupposés ».

Vous touchez juste, Pierre Bourdieu : nous n'exposons presque jamais nos présupposés à nos lecteurs ou à nos téléspectateurs, tout simplement parce que nous ne les connaissons pas, et nous ne les exposons même pas à nous-mêmes. Personne ne nous a expliqué qu'il pourrait être intéressant d'y réfléchir et de les porter à la connaissance de notre public. Personne, dans les écoles de journalisme, ne nous a appris à enquêter sur nos présupposés. On nous a même appris que le « je » était haïssable.

L'idée même de présupposé ne nous effleure pas. Privilégiant le crime sadique plutôt que la dévaluation du rouble, le rédacteur en chef du « 20 heures » n'est même pas conscient d'opérer un choix. Le crime sadique « est » plus intéressant que la dévaluation du rouble. Plus ils vieillissent, plus ils sont en position de choix, plus les journalistes se cuirassent intellectuellement dans l'évidence des hiérarchies inculquées à l'école. Je me souviens de cette consœur de télévision à qui nous reprochions sur le plateau d'« Arrêt sur images » de privilégier les faits divers au détriment de l'actualité étrangère et qui répliquait, pathétiquement sincère : « Mais il ne se passe pas grand-chose, en ce moment, à l'étranger ! » Cuirassée par sa pratique quotidienne, elle ne savait pas que c'était *elle* qui décidait que les événements étrangers n'étaient pas intéressants.

Voilà le journaliste. Il faut l'imaginer harcelé par les sommations bourdieusiennes. Superficiel ! Suiviste ! Cynique ! Connivent ! Se défendre lui imposerait de passer outre au premier des commandements professionnels : ne pas se penser lui-même comme un sujet choisissant, ne pas parler de lui. Inimaginable. Certainement, s'il est une leçon à tirer de vos attaques, faut-il introduire dans les écoles de journalistes une nouvelle matière que l'on pourrait appeler la règle du « je », ou « le choix, c'est soi ». « Ouvrir » une page de journal sur telle information plutôt que telle autre, « attaquer » son article sur telle citation plutôt que telle autre : tout est choix, que le journaliste effectue notamment en fonction de ses présupposés.

Où en sommes-nous aujourd'hui ? Le journalisme de masse est un champ de ruines.

Sa crédibilité est saccagée. Sous le vernis du « 20 heures » affleure en permanence l'évidence du divertissement. Mais si le plateau de Poivre d'Arvor, malgré ses fissures, reste l'autel de la grand-messe, votre parole, Pierre Bourdieu, est aujourd'hui le puissant Évangile des catacombes. Et c'est précisément à l'heure où les médias de masse, accablés de discrédit, tonitruent dans le désert, qu'il me paraît nécessaire de tenter de sauver du naufrage une certaine idée du journalisme.

Allons, l'orage passe. Le ciel se dégage. Il est temps de relever la tête, pour esquisser les traits du journalisme après Bourdieu.

Viansson-Ponté
et le balancement

Ils en ont fait deux colonnes à la une. Je me souviens du choc, sur le boulevard Barbès ensoleillé. Je suis vaguement étudiant, incertain de mon avenir, sans cap nettement tracé, et j'ai acheté le journal, comme tous les jours, au kiosque de la station de métro Château-Rouge. Sur ces deux colonnes à la une du *Monde*, donc, je lis ces mots sans d'abord comprendre : « Pierre Viansson-Ponté n'est plus. »

N'est plus quoi ? Il manque une ligne ! La phrase est coupée au milieu. Il me faut deux secondes pour réaliser que non, la phrase n'est pas coupée, et que ce titre sur deux colonnes, sans oser écrire le mot, parle bien de la mort, la mort brutale, ce jour de grand soleil, du chroniqueur du samedi.

Le Monde, comme tous les journaux, déteste parler de lui, et surtout dans ses propres pages. Au *Monde*, on n'écrit pas « je ». On écrit « on ». Et « on » ne parle pas de soi, comme dans les déjeuners bourgeois du siècle dernier. Faut-il alors que le traumatisme soit profond pour que cette règle soit ainsi enfreinte avec éclat, et que ce journal, si entraîné d'ordinaire à la négation de soi, consacre deux pleines colonnes à la une à la disparition d'une de ses « plumes » !

Ce n'est pourtant pas cette entorse à l'humilité habituelle qui m'a d'abord frappé, non plus que cette ostensible répugnance du journal à inscrire à la une le mot fatal, *mort*, à se réfugier derrière cette formulation très *Monde*, au fond, « n'est plus ». C'est la sensation de perdre un ami très intime. Je lisais Viansson chaque samedi, et l'avais encore lu le samedi précédent, admirant chaque semaine son art de se tenir à l'écart des aveuglements et des extrêmes, cet équilibrisme scrupuleux, cette méfiance à l'égard de tout emportement, cet examen maniaque du pour et du contre. Que pensait-il ? Était-il de droite ou de gauche, dans quel camp se rangeait-il dans les débats qui, ces années-là, partageaient la société française, pour ou contre l'avortement, le mariage des prêtres, que sais-je encore ?

Au fond, tout lecteur fidèle que j'étais, depuis l'âge de quinze ans, de la chronique de Viansson, je ne l'avais jamais su, et je me souviens aussi de mon ahurissement lorsque l'on me révéla que tout cela, allons, était bien connu, que Viansson était un catho, un sacré catho même, chacun savait cela dans les couloirs du journal, un « tala », qui va « tala » messe, oui, c'était son truc à lui, catho, son étiquette – sans rire, tu ne le savais pas ? Non, je ne le savais pas, moi je me contentais de le lire, Viansson, rien d'autre, et rien ne transparaissait de ses opinions ni de ses croyances, il n'écrivait pas « tiens, je suis allé à la messe », il ne consacrait pas sa chronique de Noël au miracle de la Nativité, il devait considérer comme un des devoirs du journaliste de ne pas être deviné et d'aller tranquillement à la messe de minuit sans entraîner quelques millions de lecteurs derrière lui. Bref, il maîtrisait parfaitement l'art très *Monde* de ne pas parler de soi.

Son ascendant moral sur une grande partie de la profession, Viansson ne le devait à rien d'autre que son honnêteté, sa capacité de distance, son instinct du mot juste, et un sens inné de l'air du temps, qui lui dicta quelques articles légendaires. En avril 1968, alors journaliste politique, Viansson publie à la une du *Monde* son fameux soupir : « La France s'ennuie. » Quelques jours plus tard, Paris se hérisse de barricades, et l'article devient rétrospectivement historique. Des années plus tard, Viansson se montrera bien incapable de fournir quelque explication sérieuse à cette intuition. Je me souviens de son sourire lors d'une émission de télévision où on l'interrogeait sur le sujet. « Peut-être que je m'ennuyais un peu moi-même, dans ma vie », laissa-t-il simplement tomber en guise d'explication. Voilà. Faire de sa vie, de ses colères, de ses joies, de son ennui la matière première d'analyses politiques : cette folle présomption est le privilège des très grands.

Je ne l'avais jamais rencontré. À plusieurs reprises, je lui avais envoyé par la poste quelques petits textes, tapés sur la vieille Underwood familiale, et chaque fois, par retour du courrier, j'avais trouvé dans la boîte aux lettres un refus courtois et argumenté, non point une lettre type, fin de non-recevoir, mais cinq lignes prouvant qu'il avait lu mes textes avec attention et, pour des raisons très précises, ne les estimait pas dignes de publication.

Je l'avais croisé une fois dans le hall du *Monde*, rue des Italiens : un monsieur un peu penché, des lunettes de P-DG, pas vraiment vieux encore, un camée monté en bague, et que ce monsieur pût lire avec attention et bienveillance les petites annonces de *Libération*, dont il avait un jour tiré une chronique, titrée « Cette sacrée tendresse », et dans laquelle il décelait, sous les apparences de la libération sexuelle post-soixante-huitarde la permanence de l'ancestral besoin de chaleur animale et de tendresse (au fond, si je la relisais aujourd'hui, je m'apercevrais qu'il y enrôlait les laissés-pour-compte de la libération sexuelle sous la bannière du bœuf et de l'âne gris, rien de moins, cela m'avait époustouflé. Je ne me souviens plus si je m'étais formulé le mot « curiosité », ni si j'avais compris dès lors combien la curiosité était la première qualité exigée du journaliste, mais cette capacité de sortir de sa peau de notable quinquagénaire, commensal des ministres et des présidents, pour aller se pencher sur un « phénomène de société », les petites annonces de *Libé*, a priori si éloigné de lui, oui, cela m'avait émerveillé.

Voilà. Je n'en reviens toujours pas d'être à mon tour devenu le chroniqueur du samedi dans le même journal. Près de vingt ans après sa mort, je ne crois pas avoir achevé de rédiger une chronique sans me demander, au fond, ce qu'il en penserait s'il pouvait la lire, si elle était assez inattendue, si elle laissait assez de place aux arguments de la défense, si elle était digne de lui.

Car Viansson était un virtuose du balancement. Toujours accorder place et attention aux arguments adverses, s'entraîner à les reprendre sous sa propre plume, sans y céder bien entendu, ni les défigurer. Toujours peser le pour et le contre, écouter les plaidoyers les plus aptes à ébranler ses propres convictions, chercher systématiquement la contradiction et la démonter en horloger pour en maîtriser tous les rouages : j'en suis resté là, sculpté et rongé à la fois par le doute, horloger de l'adversaire, quitte à balancer excessivement à tous les vents, à tenter de dénicher dans les plus improbables cachettes des parcelles de vérité, à être ébranlé aussi bien par une chronique de *Charlie Hebdo* que par un éditorial du *Figaro Magazine*. Il est probable que cet irrésistible penchant pour le doute est aujourd'hui une des raisons de mon amour immodéré des débats contradictoires. Incapable de me livrer moi-même à l'exercice, je passerais bien des heures à écouter des orateurs talentueux tenter de se convaincre et d'emporter le morceau.

C'est dire si mon cas est grave ! Et voici, s'il faut en commencer le catalogue, le tout premier de mes présupposés : je tiens qu'une opinion contraire à la mienne est digne d'être écoutée.

À partir de ces deux colonnes à la une, les événements s'enchaînent. Tenant encore à la main l'exemplaire du journal, je griffonne une longue lettre dans laquelle je tente d'exprimer mon chagrin de lecteur fidèle et, surprise, le samedi suivant, dans une page de réactions chagrinées de lecteurs fidèles, au beau milieu, que vois-je ? Un petit extrait de mon éloge, quelques lignes seulement, alors qu'ils ont choisi, dans d'autres lettres, des extraits bien plus longs, mais tout de même quelques lignes, et mon nom dessous, étudiant, Paris, mon nom dans *Le Monde*.

Me voilà regonflé ! S'ils publient ma lettre, ils peuvent bien publier des articles ! Je repars à l'attaque de l'Underwood, et bombarde le journal d'une brassée de nouvelles tentatives. Quelques semaines plus tard, le miracle se produit, *Le Monde* publie mon premier article, envoyé au successeur de Viansson, Jean

19

Planchais. Il traite de l'importante question des musiciens du métro. Mon plaisir est néanmoins troublé par une erreur à la signature, ils ont oublié le « n » et écrit « Scheidermann », c'est là ma toute première confrontation avec les à-peu-près journalistiques. Je m'en souviendrai. Chaque nom propre, chaque prénom, chaque date, chaque nom de lieu mérite toujours une vérification maniaque. Qu'un lecteur découvre, dans un article, une erreur sur un nom propre familier, et c'est l'article tout entier, voire tout le journal, qui, à ses yeux, s'en trouve dévalué. Je me souviens d'avoir passé plusieurs mois, plusieurs années, à appeler chaque matin le service de presse de la préfecture de Paris ou le parquet de Versailles pour vérifier les prénoms et les dates des faits divers dont nous faisions des « brèves » dans les pages du journal. Je me souviens de ma stupéfaction en découvrant, dans une dépêche de l'AFP sur deux, une erreur de date ou de prénom.

Quelques cuisantes expériences m'enseignent assez vite les rudiments du métier. Ainsi des techniques de reportage et d'enquête. Cela ne va pas de soi. Jean Planchais me commande un jour une grande enquête sur les objecteurs de conscience. Je rencontre de nombreux objecteurs, les associations qui les représentent, leurs proches et familiers. Je rédige un papier débordant de témoignages et, tout fier, viens l'apporter au rédacteur en chef. Il le parcourt, me regarde : « Et le point de vue de l'armée ? où est le point de vue de l'armée ? » Je blêmis. Le point de vue de l'armée ? Il fallait, aussi, recueillir le point de vue de l'armée dans une enquête sur les objecteurs de conscience ? Une idée si cocasse ne m'avait pas effleuré. C'est pourtant indispensable, de la même manière qu'une enquête sur l'exploitation des salariés de l'intérim impose de recueillir « aussi » le point de vue des patrons, ou bien qu'une enquête sur TF1 devrait imposer de recueillir également le témoignage des présentateurs vedettes de la chaîne. Le journalisme se pratique à charge et à décharge. L'humiliation sera intense, mais je ne me le ferai pas dire deux fois. Recoupements, obsession du contradictoire, multiplication des points de vue : en cinq minutes, le vieux rédacteur en chef du *Monde* m'a fait comprendre ce qu'était une enquête journalistique. Je suis bon pour le service.

Nouméa et l'urgence

Je me souviens de l'odeur sucrée et moite de la Calédonie qui vous assaille sur la passerelle de l'avion, dès l'aéroport de la Tontouta. J'ai vingt-six ans. Le journal m'a envoyé en catastrophe couvrir la révolte des tribus canaques contre les éleveurs caldoches. Non point que je revendique une quelconque compétence sur la société calédonienne, ni sur les questions coloniales. Grand reporter, donc dépourvu de toute spécialisation dans un journal qui tire une légitime fierté de ses spécialistes, je glisse voluptueusement, depuis mon arrivée au *Monde*, d'un sujet à l'autre, d'une grève dans l'automobile à une campagne électorale, d'un procès d'infanticide à une enquête sur les prix littéraires, des couloirs de l'Assemblée aux hauts-fourneaux de Lorraine.

Les spécialistes du journal nous regardent de haut, nous, la petite escouade de reporters, et nous les méprisons joyeusement. Entre nous, les camps sont tracés. Inhibés par la proximité de leurs sources, les spécialistes n'écrivent pas le dixième de ce qu'ils savent ; ils se fichent du lecteur : ils n'écrivent que pour les autres spécialistes. Quant à nous, les reporters, nous formulons des bêtises sur des sujets que nous ne maîtrisons pas. Plus d'une fois j'ai écrit sur des pays, des régions, des peuplades dont j'ignorais jusqu'à l'existence une semaine auparavant. J'ai glissé dans des articles de pédantes références à des faits d'armes, des écrivains, des événements historiques découverts dans l'avion, en piochant dans le dossier rassemblé à la hâte par l'assistante du service. En d'autres termes, j'ai été superficiel, et stupidement fier de l'être.

Me voici donc aux Antipodes. Dès le jour de mon arrivée à Nouméa, j'ai sauté dans une voiture de location et, après avoir franchi quelques barrages d'indépendantistes canaques, suis arrivé dans la ville minière de Thio, aux mains de la rébellion des hommes d'Eloi Machoro, « chef de guerre » canaque. Mon premier papier est titré : « Dans Thio occupée ». Je le dicte de l'arrière-boutique d'une épicerie, et la voix oppressée des sténos me confirme que cette fois ça y est, je me trouve bien au cœur d'un grand reportage. Je rencontre Machoro avec sa casquette, tremblant d'incrédulité et de joie : je tiens mon Guevara ! Quelques semaines plus tard, Machoro sera abattu par les hommes du GIGN.

J'ai pris mes quartiers à Nouméa, dans un hôtel du bord de mer où le fax est accessible jour et nuit, où un confrère de la télé s'installe au piano après 23 heures pour massacrer quelques standards de jazz, où l'on sert à toute heure des langoustes du lagon, comme si elles coulaient du robinet. Il n'y a plus de soucis d'argent, ni de temps, ni d'espace. Je peux dicter huit, dix, douze feuillets chaque jour : ils passent sans coupe. Je peux me permettre un retard de cinq, dix minutes : on retardera le bouclage pour y inclure mon papier. Je suis protégé des soubresauts de ma rédaction en chef par un décalage horaire de dix heures et l'importance de l'événement. Je découvre qu'un « gros coup d'actu », comme nous disons, peut être un bain amniotique, que l'on peut s'y immerger dans une baignoire tiède d'informations partagées et de fraternité factice, d'aigre concurrence et de communauté de réflexes, que l'on peut arriver à toute heure à la table du banquet, que l'on y trouvera toujours un confrère qui vient de terminer un papier pour une radio, avec qui l'on partagera, outre quelques rumeurs boiteuses, les deux amertumes contradictoires du reporter sur le terrain : « À Paris, ils sont fous, ils me demandent un papier chaque heure, pour chaque bulletin d'infos », immédiatement suivi de : « À Paris, ça ne les intéresse plus du tout, il y a une grève générale des trains, mon "réd-chef" vient de me dire que je peux aller me faire voir, avec mes Canaques. » Nous sommes les témoins, lointains et bienheureux, des caprices de cette grande dame hystérique, l'Actualité.

Chaque matin, je m'extrais de l'hôtel et sillonne la Grande Terre, dormant dans la voiture, volant d'une tribu silencieuse et méfiante où les femmes baissent les yeux sur mon passage à une ferme caldoche surarmée, passant de l'une à l'autre, me coulant dans la peau des Caldoches, puis des Canaques, n'en finissant jamais de m'évertuer à comprendre les uns et les autres, petits colons et tribus de colonisés. Viansson m'observe et me juge. Quand arrive l'heure d'envoyer l'article, je tente de donner forme à mes notes en grattant mon bloc sténo dans le sens de la largeur, c'est pratique pour formater les articles : une feuille de bloc sténo égale un demi-feuillet dactylo, le fameux feuillet de quinze cents signes, immuable unité de mesure aujourd'hui disparue, comme la pinte ou la lieue. Ce n'est pas encore l'époque des portables et des articles calibrés directement en signes. Et puis, dans un village abandonné, déserté par les petits Blancs partis se réfugier dans les HLM de Nouméa, dans un paysage d'apocalypse mauve où frissonnent les niaoulis, il faut dénicher une cabine téléphonique qui fonctionne, un bureau de poste où, par miracle, une préposée caldoche sourde ou inconsciente assurerait la permanence. C'est ainsi, en cherchant une cabine téléphonique alors qu'approchait la minute du bouclage, que sont apparus mes premiers cheveux blancs. C'était après l'embuscade de Hienghène, dans laquelle deux frères de Jean-Marie Tjibaou, chef charismatique et fascinant des indépendantistes canaques, avaient trouvé la mort. Le décalage horaire avantageant *Le Monde*, journal du soir, je savais que mon papier serait le premier à raconter l'épisode aux lecteurs de la métropole. À la dernière minute, comme dans un rêve, je fus sauvé par le seul appareil encore en service dans la mairie de Hienghène saccagée. Je composai le numéro direct des sténos et, au milieu des ruines, entendis la voix flûtée et chaleureuse : « *Le Monde*, bonjour. » Le lendemain mon papier faisait la une, comme d'habitude, et toute une touffe de ma tempe droite avait blanchi d'un seul coup.

Je me souviens de ces moments d'angoisse et de griserie. Savoir que ces notes griffonnées à la hâte sur une banquette au bout du monde seraient lues quelques heures plus tard par les députés dans les couloirs de l'Assemblée, leur fourniraient matière à interpeller les ministres de la République, quelle ivresse ! Les philosophes, les sociologues, les diplomates les liraient, ils en tireraient réflexion et initiatives, de la Maison des sciences de l'homme au Quai d'Orsay. J'étais ivre de liberté. Libre de courir où je voulais, d'interroger qui je souhaitais, de commencer et de « chuter » mon article comme je l'entendais. Je me sentais libre de tout a priori à l'égard de cette terre des Antipodes dont je ne connaissais pas l'existence un an auparavant, et à laquelle aucun intérêt ne me rattachait. Un minimum d'humilité aurait peut-être dû m'instiller quelques grammes de culpabilité. Des anthropologues travaillaient sur la question depuis des dizaines d'années, ils avaient tout étudié du mode de vie des Canaques, du rôle de la coutume dans les tribus, de l'exercice de l'autorité ; des économistes, des statisticiens avaient longuement travaillé sur la dépossession des terres. Et c'était à moi qu'il revenait d'informer chaque jour des développements du conflit les lecteurs de la métropole. N'y avait-il pas là comme une usurpation ?

Tout journaliste, à la vérité, est un usurpateur. À lui de prendre conscience de son incompétence, et d'en tirer cet avantage : la liberté. Toujours moins cultivé que les universitaires sur les sujets qu'il traite, au moins le journaliste doit-il s'efforcer d'être plus libre intellectuellement. Quand Pierre Bourdieu, aujourd'hui, explique que la liberté du journaliste n'existe pas, que tout journaliste est l'esclave de ses a priori, de la ligne de son journal, des intérêts de son patron, et que la seule attitude vertueuse consiste à prendre acte de l'existence de ses chaînes pour se résigner à une pratique encagée, je ne trouve immédiatement à lui opposer que l'image de ce gamin de vingt-six ans qui galope en Calédonie et à qui son journal a laissé la bride sur le cou.

Allons plus loin dans l'aveu : ce n'est pas seulement de transmettre l'information qui m'emplissait de joie. Plus d'une fois, et pas seulement en Calédonie, j'ai frémi de plaisir à l'idée d'être le premier. Le premier à foncer sur les lieux après avoir brûlé les feux rouges et pulvérisé les limites de vitesse, le premier à rassembler les éléments d'enquête, le premier à envoyer mon papier, le premier à informer les lecteurs, avant mes concurrents. Oui, j'ai été l'esclave de l'urgence médiatique, et mon naturel impatient s'en trouva béatement comblé. C'était, il faut l'avouer, avant qu'Urgence médiatique ne soit identifiée comme une sorte de maîtresse sado-masochiste, fouet en main, n'ayant d'autre désir que de martyriser ses infortunées victimes, la « complexité des choses », le « fond des choses », la « recherche lente et patiente de la vérité ».

De cet esclavage-là j'ai ensuite tenté de me libérer. J'ai tenté de m'affranchir de l'urgence, de me convaincre – et j'espère y avoir réussi – qu'il valait mieux être le deuxième, ou le troisième, ou le vingtième, si l'on était le plus complet, le plus honnête, le plus scrupuleux.

Car le journaliste doit choisir en permanence entre une information rapide et une information précise. Un exemple m'a toujours frappé : la couverture des procès. J'ai suivi de nombreux procès, notamment d'assises. Les audiences des cours d'assises commencent le matin en province, en milieu de journée à Paris. Au début de l'audience, je me retrouvais sur les bancs de la presse avec de nombreux confrères. Puis, vers 16 ou 17 heures, la foule se clairsemait. Mes confrères des journaux du matin disparaissaient : ils allaient écrire leur article. Vers 18 heures, c'étaient les journalistes de la télévision qui allaient préparer leurs interventions. Ainsi, en fin d'audience, privilégié par les horaires du *Monde* qui m'autorisaient à écrire dans la nuit, me retrouvais-je parfois seul en compagnie du confrère de l'Agence France-Presse. Tant pis pour les témoignages de fin de journée, parfois essentiels, mais que ne reprendrait aucun média. Au procès Papon, au procès des ministres dans l'affaire du sang contaminé, des témoignages importants ont ainsi été réduits, dans le meilleur des cas, à quelques secondes, ou à quelques lignes, sans autre raison que les contraintes de bouclage des organes de presse. Mais quelle est la bonne solution ? Est-il préférable de publier le lendemain un article amputé ou bien d'attendre le surlendemain pour offrir un compte rendu complet ?

Cette simple question fera sourire de nombreux journalistes. Pourtant, quelle est la nécessité de diffuser dès le soir même, ou bien de publier le lendemain, le compte rendu d'une journée de procès ? Pourquoi tous les journaux ne s'accorderaient-ils pas pour attendre le surlendemain ?

De même, un journal se sentirait déshonoré de ne pas publier dès le mercredi de sa sortie la critique d'un film important. Cela suppose que le critique ait vu le film auparavant, lors d'une projection de presse, en compagnie d'autres critiques. Ne serait-il pas nécessaire, parfois, quitte à différer de quelques jours la publication, d'aller voir le film en salle, parmi ses vrais spectateurs, afin de s'abstraire de l'ambiance de promotion effrénée qui accompagne les films ?

Mieux vaut une information tardive qu'une information incomplète. Étant entendu que la presse écrite ne sera jamais aussi rapide que les chaînes, radio ou télé, d'information continue, mieux vaut pour elle faire clairement son deuil de la primeur, et offrir à ses lecteurs les angles, les approfondissements, les éclairages, les analyses nécessaires à la compréhension de l'information. La presse écrite n'en prend pas le chemin. Les dernières années l'ont plutôt vue se soumettre au tempo des médias électroniques que l'inverse. L'affaire Monica Lewinsky, aux États-Unis, a poussé cette tendance à son paroxysme, qui vit les journaux s'épuiser de longs mois à suivre le rythme des révélations d'Internet.

Point d'autre issue, pourtant, que de lutter contre son impatience. Ce fut pour moi un apprentissage douloureux, comme est douloureux l'apprentissage de l'âge adulte. Attendre pour publier les informations dont il dispose : rien n'est plus difficile pour un journaliste. De mes premières amours avec l'Urgence m'est toujours restée cette lutte permanente avec un démon familier qui me pousse, par peur de rater le bouclage, à aller trop vite et à brûler les feux rouges.

La pratique de la télévision n'y a rien arrangé. Depuis que je suis animateur d'émission, un flux régulier de courrier me reproche ainsi de couper trop souvent la parole à mes invités. L'image du journaliste de télé coupeur de parole est insupportable à beaucoup de téléspectateurs. C'est l'image symbole de l'arrogance du pouvoir médiatique face à des catégories qu'il se permet de traiter en inférieures. Pour qui se prennent-ils, ces journalistes, pour ne pas même écouter un raisonnement jusqu'au bout ?

Là encore, Bourdieu mène l'attaque. « En fait, comme j'ai pu le vérifier, les gens dont il s'autorise – le présentateur – pour jouer le rôle de censeur sont souvent les plus exaspérés par les coupures », écrit-il dans *Le Monde diplomatique*[1]. Hé, monsieur le sociologue !

---

1. Pierre Bourdieu, « Analyse d'un passage à l'antenne », in « Manière de voir », *Culture, idéologie et société*, Paris, 1997.

Qui sont ces « gens » ? Comment les avez-vous rencontrés, et interrogés ? Avez-vous pratiqué des entretiens semi-directifs, ou directifs ? Quel est l'échantillon ?

En quatre ans d'animation d'une émission hebdomadaire, j'ai vu défiler toutes sortes d'invités. Certains sont tellement paniqués qu'ils n'entendent pas les questions. Certains ont manifestement décidé de « jouer la montre », réduisant leur ambition à la pure et simple occupation de l'espace, visuel et sonore, le plus longtemps possible. Les ministres sont en général particulièrement habiles à répéter cinq fois de suite la même phrase, dont ils ont décidé qu'elle était le « message » à faire passer. D'autres, peu habitués à la télévision, peinent à rassembler leur pensée. D'autres encore sortent du sujet défini par l'émission. Ces catégories se mélangent d'ailleurs elles-mêmes. Certains grands professionnels, coutumiers du passage à la télévision, s'avèrent soudain paniqués. Certains novices se révèlent excellents.

Pour une part, je dois bien donner raison à ceux que heurtent mes interruptions. Après chaque émission ou presque, je me reproche de ne pas m'être montré plus patient et plus attentif envers mes invités. Mais ces interruptions ont aussi des raisons légitimes : d'abord, il me faut faire respecter le sujet choisi et traiter les thèmes prévus, toujours communiqués par ailleurs aux invités avant l'émission, avec le degré de précision qu'ils déterminent eux-mêmes. Oui, pour préparer cette émission, nous avons enquêté. Oui, nous prétendons offrir aux téléspectateurs les fruits de notre enquête. Non, nous n'en avons pas honte. Oui, comme il a le droit de ne conserver dans son article qu'une seule phrase extraite d'un entretien d'une heure s'il juge qu'elle le résume honnêtement, le journaliste a le droit, et même le devoir, de poser les questions qu'il juge utiles, d'interrompre quand il le juge trop long, ou à côté du sujet, un invité, fût-il ministre, smicard, ou même professeur au Collège de France.

Les banlieues et la simplification

L'urgence a souvent pour corollaire la simplification. Les journalistes sont par essence « simplificateurs ». Ce reproche est adressé par Pierre Bourdieu à la corporation à partir d'un exemple percutant : le traitement médiatique des banlieues. « Le principe de sélection, écrit-il, c'est la recherche du sensationnel, du spectaculaire. La télévision [...] met en scène, en images, un événement et elle en exagère l'importance, la gravité, et le caractère dramatique, tragique. Pour les banlieues, ce qui intéressera, ce sont les émeutes [...]. Et les mots peuvent faire des ravages : islam, islamique, islamiste – le foulard est-il islamique ou islamiste ? Et s'il s'agissait simplement d'un fichu, *sans plus* ?[1] »

Cet amour de la simplification est reproché aux journalistes à juste titre. Il est insupportable aux habitants des banlieues de n'entendre parler de leurs quartiers dans les médias qu'à travers des récits de délinquance ou d'émeutes. Et les récriminations sont ici largement partagées. Dans une hypothétique

---

1. Pierre Bourdieu, *Sur la télévision*, *op. cit.*, p. 18-19.

manifestation contre les simplifications médiatiques, nul doute que pourraient défiler coude à coude les habitants des banlieues et... les ministres.

Il n'est rien de plus détestable que la simplification médiatique, c'est une affaire entendue. Tout récit journalistique est une trahison de la réalité. Écrivant, je trahis le réel, et tous ses acteurs, à qui je souhaite tant rendre justice. Pourtant, j'étais parti avec de si bonnes intentions ! Traquer les racines historiques d'une situation, se repaître des stratégies ambivalentes, des délicieux clairs-obscurs, des méandres des psychologies humaines, du réel en un mot : quelle plus grande satisfaction pour l'explorateur ? Et voilà qu'il faut, dégrisé, résumer tout cela en six feuillets, ou en une minute trente !

Puis-je revenir un instant sur la Calédonie ? Ma plus grande surprise fut d'y découvrir, entre Caldoches et Canaques, la communauté wallisienne. Les Wallisiens – immigrés de l'île de Wallis, lointain confetti du Pacifique, venus chercher fortune à Nouméa comme les Auvergnats, les Savoyards ou les Kabyles à Paris – soutenaient les Caldoches. C'étaient des costauds, formant l'essentiel du service d'ordre de toutes les manifestations du RPCR.

Je découvris leur existence en arrivant sur « le Caillou ». Ni les journaux ni la télévision ne m'en avaient rien dit, trop heureux de limiter l'histoire au minimum supposé intelligible par le lecteur ou le téléspectateur métropolitain, à ses aspects les plus efficaces, Blancs contre Noirs, Caldoches contre Canaques. Des immigrés complices des Blancs, pimentant en outre l'affaire de la dimension, fort exotique pour les métropolitains, Mélanésiens contre Polynésiens, c'était trop. C'est le souvenir des Wallisiens qui devait plus tard me convaincre que l'exploration de la chaîne de transmission des informations est un riche territoire journalistique et me pousser à assurer la chronique télévision du *Monde*.

Donc, les médias simplifient tout. Toute saga économique ou diplomatique, toute crise internationale, tout conflit social, tout fait divers a toujours ses Wallisiens, comporte toujours des éléments que les journalistes sont tentés de gommer ou d'atténuer parce qu'ils leur paraissent nuire à la « lisibilité » de l'affaire qu'ils relatent. Blancs contre Noirs, « pro » contre « anti », porte-parole des « pour » opposé au porte-parole des « contre », anciens contre modernes, vieille garde contre nouvelle vague, colombes contre faucons, aile gauche contre aile droite, « durs » contre « modérés » : les journalistes adorent le binaire. Combien de fois me suis-je moi-même considéré, parce que j'avais donné dans l'article ou dans l'émission la parole aux « pour » et aux « contre », comme irréprochable, et quitte de ma dette à l'égard de l'impartialité ?

Les journalistes ne se contentent pas de simplifier en focalisant sur des oppositions largement artificielles, ils braquent aussi les projecteurs sur les détails extrêmes, sur le paroxysme des crises, laissant dans l'ombre la quasi-totalité de la réalité, coupable d'être trop banale, terne, sans intérêt.

Est-ce là une tare propre aux journalistes ? À lire Pierre Bourdieu, je crains que non. Dès lors que l'on tient un discours public, que l'on s'efforce d'être intelligible par le plus large public, on est obligé de faire court, et c'est aussi vrai de... Bourdieu lui-même, qui en convient d'ailleurs dès la première page de son petit livre rouge : « Je pense en effet que la télévision, à travers les différents mécanismes que je m'efforce de décrire d'une manière rapide – une analyse approfondie et systématique aurait demandé beaucoup plus de temps –, fait courir un danger très grand aux différentes sphères de la production culturelle, art, littérature, science, philosophie, droit. » Et encore (p. 57) : « Tout ce que je dis là serait à préciser et à vérifier... »

Mais qui a pressé Bourdieu ? Qui lui a interdit de mener « une analyse approfondie et systématique », ou de « préciser et vérifier » ? Quelles contraintes de fabrication ? Quel éditeur frénétique ? Quel était donc ce délai de bouclage, cher professeur, qui vous a empêché de mener votre recherche jusqu'au bout, et qui a osé vous faire presser le pas ? Qui lui a demandé de se limiter à une centaine de pages ? Seraient-ce par hasard les contraintes éditoriales qui l'ont obligé à produire un « petit livre » ? Quelle singularité, de voir le premier défenseur de la complexité faire un tabac en librairie en produisant un livre de quatre-vingt-seize pages, pas une de plus ! Parlant à la télévision, il admet (p. 6) avoir été contraint, en plus d'un cas, « à des simplifications ou à des approximations », du fait qu'il s'exprime à la télévision. Mais qui l'a contraint à venir à la télévision ?

S'obligeant lui-même à faire court, Bourdieu se soumet – sans s'en apercevoir ? – au mécanisme des simplifications médiatiques. Lui aussi s'en tient à ses Caldoches et ses Canaques, oubliant les Wallisiens.

Qui sont les Caldoches et les Canaques de Bourdieu, ses cow-boys et ses Indiens ?

Tout simplement, les bons et les mauvais journalistes. Comme l'immense majorité des reportages journalistiques ou des « sujets » de télévision, le système bourdieusien fonctionne par binômes. « Les tensions sont très fortes, explique-t-il (p. 41), entre ceux qui voudraient défendre les valeurs de l'autonomie, de la liberté à l'égard du commerce, de la commande, des chefs, etc. et ceux qui se soumettent à la nécessité, et qui sont payés de retour... [...]. Je pense par exemple à l'opposition entre les grandes vedettes à grandes fortunes, particulièrement visibles et particulièrement récompensées, mais aussi particulièrement soumises, et les tâcherons invisibles de l'information, des reportages, qui sont de plus en plus critiques, car de mieux en mieux formés du fait de la logique du marché de l'emploi, ils sont employés à des choses de plus en plus pédestres, de plus en plus insignifiantes. »

Et quelques pages plus loin (p. 58), le voilà qui fustige « une certaine catégorie de journalistes, recrutés à grands frais pour leur aptitude à se plier sans scrupules aux attentes du public le moins exigeant, donc les plus cyniques, les plus indifférents à toute forme de déontologie, [...] qui tend à imposer ses "valeurs", ses préférences, ses manières d'être et de parler, son "idéal humain", à l'ensemble des journalistes ». Vedettes contre tâcherons, une poignée de salauds cyniques surcotés contre une plèbe désespérée et soumise : on admirera les nuances du tableau.

Qui sont « les bons » et « les mauvais » ? Bourdieu nous livre quelques indices. « On ne peut pas se représenter ce milieu comme homogène : il y a des petits, des jeunes, des subversifs, des casse-pieds qui luttent désespérément pour introduire de petites différences dans cette énorme bouillie homogène » (p. 27). Ces « jeunes » auraient d'ailleurs tout à gagner à conclure des alliances avec les « jeunes chercheurs », eux aussi victimes du système, car interdits d'accès aux médias. En effet, Bourdieu déplore un peu plus loin (p. 31) que « la télévision privilégie un certain nombre de *fast-thinkers* », invitant toujours les mêmes, au détriment de « qui aurait quelque chose à dire vraiment, c'est-à-dire, souvent, des jeunes, encore inconnus, engagés dans leur recherche, peu enclins à fréquenter les médias ». « Jeunes » chercheurs d'ailleurs aussi mal servis que les « jeunes auteurs à 300 exemplaires, qu'ils soient poètes, romanciers, sociologues ou historiens » (p. 68), qui vont avoir de plus en plus de mal à se faire publier, en raison du blocage exercé par leurs aînés. Mais où donc Bourdieu situe-t-il la barrière d'âge ? La réponse lui est fournie (p. 41) par un journaliste qui « disait récemment que la crise de la quarantaine (à 40 ans, on découvre que le métier n'est pas du tout ce qu'on croyait) devient une crise de la trentaine ».

Voici donc le monde du journalisme vu par Bourdieu : pur en dessous de la trentaine, corrompu au-dessus. On imagine le beau « plateau » de télé auquel pourrait donner lieu la transposition télévisée du « petit livre rouge » : un jeune pigiste de vingt-cinq ans contre une vedette surpayée, connivente et soumise. Quel beau match !

Existe-t-il deux sortes de journalistes, les « cyniques » et les autres ? Ne s'agit-il pas précisément de ce que Bourdieu reprochait aux médias : une simplification ?

Quiconque pénétrerait dans une rédaction en espérant y observer la lutte permanente entre grandes vedettes et tâcherons risquerait d'être déçu. Comme tout corps social, une rédaction offre plutôt un dégradé, une infinie palette de gris, chacun étant un peu, dans ce métier, tâcheron et vedette.

En vingt ans d'exercice professionnel, je mentirais en disant que je n'ai jamais, dans les rangs de la confrérie, croisé la face glaciale du cynisme.

Quelques semaines après le début d'« Arrêt sur images », je reçus ainsi la visite d'un confrère, chargé de la rubrique « médias » d'un quotidien (aujourd'hui disparu). Il me proposait sa collaboration. En échange, il se déclarait prêt à accorder un large écho, dans sa rubrique, à l'émission naissante. Il s'exprimait par allusions, certain que je comprenais son langage. Tout d'un coup, j'étais projeté dans une cathédrale de sous-entendus, de promesses et de menaces implicites. Je le regardai hébété, lui demandai de préciser, et à son tour il me dévisagea comme un Martien. Je crois qu'il n'a jamais compris pourquoi j'avais refusé un si beau marché. Il n'avait pas encore trente ans.

Au sommet de la pyramide, considérons maintenant la population des cibles favorites de Serge Halimi, ces trente vedettes qui-règnent-sans-partage-sur-la-profession. Ce troupeau, que je côtoie depuis que je les reçois individuellement à « Arrêt sur images », n'exsude pas le cynisme. Enfin, pas seulement. Il sent l'orgueil et l'angoisse, le narcissisme et le trac, le talent sûr de lui-même et le goût du pouvoir, la hantise de perdre sa place et l'obsession de continuer à la mériter, la vanité et le désespoir. Le cynisme aussi, mais mêlé d'une persistante innocence. Cyniques, Julliard et ses coups de colère, Giroud et ses indignations, Minc et ses échecs, BHL et les flèches dont il est transpercé, PPDA et la chimérique obsession de la protection de sa vie privée, Duhamel et son insensé marathon de commentateur multicartes, Elkabbach et son infantile besoin d'amour, Pivot et son invincible trac ? Sans doute tous ceux-là ne sont-ils pas étrangers à tout cynisme, puisqu'on ne se hisse ni ne se maintient au sommet sans un certain goût ni un certain art du rapport de forces. On ne survit pas une décennie ou davantage sur l'avant-scène de la société du spectacle sans avoir appris à tirer parti de son personnage, à exploiter sa sincérité. Des cyniques, oui, mais bien autre chose aussi. Des cyniques, mais dont le cynisme, toujours contenu, n'a pas dévoré le talent, la curiosité, la faculté d'indignation, la capacité de renouvellement.

Savez-vous, Pierre Bourdieu ? Un livre, une chronique ou une émission de télévision laissent à la longue tout transparaître aux lecteurs ou aux téléspectateurs de la personnalité profonde de leur auteur, y compris ce qu'il souhaiterait dissimuler.

J'en sais quelque chose. Moi qui aurais tant souhaité dissimuler certains aspects de moi-même, une certaine intransigeance, une irrépressible impatience, un irrépressible penchant pour la justice que la loupe de l'écran de télévision est prompte à caricaturer en frénésie de « justicier », j'y ai renoncé. À la longue, on ne triche pas. On peut tricher un mois, un an. Mais le public serait incapable d'écouter plusieurs années discourir un cynique pur. De même que votre propre succès s'explique aussi par la part de sincérité investie dans chacun de vos livres et chacune de vos interventions, par le reliquat, dans vos bulles excommunicatrices, de la colère du petit boursier béarnais, par ce qui reste de souvenirs du « dominé » dans votre domination d'aujourd'hui, de même ce sont la sincérité et le talent qui opèrent le tri, à égalité avec la soumission et le sens des rapports de forces, parmi les maîtres des médias. « Qui a trié Alain Minc ? Ou Bernard-Henri Lévy ? » demande Serge Halimi. Rien d'autre que leur habileté, leur talent, leur travail, leur sincérité, cher Serge. Personne d'autre.

Je ne sais trop si les meilleurs journalistes sont des cyniques absolus, ou d'angéliques idéalistes. Je crois que ce sont ceux qui parviennent à jouer sur les deux registres. Logiquement, c'est le cynisme qui devrait faire la sélection. Neuf journalistes politiques sur dix sont modelés par le cynisme. Ils ne font en cela que reproduire le cynisme des hommes politiques, dont ils suivent la carrière de congrès en congrès. Mais les grands journalistes, ceux qui se hissent et restent au-dessus du lot, ne sont pas seulement des cyniques. Je me souviens d'être allé interroger Roger Thérond, directeur de *Match*, avec l'absolue conviction d'avoir pénétré dans l'antre du cynisme où se négocient dans des conditions inavouables les photos trafiquées, les contrats d'exclusivité avec les valeurs les plus frelatées du show-business, l'info-spectacle la plus éhontée. Soudain, je posai une question. Pourquoi *Match*, semaine après semaine, s'acharnait-il à publier une sorte de feuilleton sur les fichus de Caroline de Monaco ? Était-ce le fruit d'un contrat ? Cela faisait-il vendre ? Quelle était la raison profonde de cette obsession ? Thérond explosa : « Eh bien oui, je la trouve jolie en fichu, voilà tout. » Il la trouvait jolie en fichu ! Sincèrement jolie. J'ai compris à ce moment qu'il n'est pas de grand journaliste qui ne soit à la fois crocodile et midinette. Que le vrai talent consiste à savoir se placer en état de cynisme désarmable. Être journaliste, c'est ne croire rien ni personne, savoir que tous mentent, qu'il faut tout vérifier en permanence, et en même temps être prêt à se laisser surprendre par un éclair inattendu de candeur et de sincérité, par la surprenante trouée que l'on n'attendait pas.

J'ai rencontré des débutants cyniques, prêts à tout pour « grimper » le plus vite possible. J'ai rencontré des rédacteurs en chef honnêtes, accomplissant leur métier consciencieusement jour après jour. J'ai surtout rencontré dans ce métier, comme ailleurs, des êtres humains tiraillés entre le cynisme et la tendresse, cuirassés par la fréquentation assidue des bassesses humaines, mais prêts à se laisser émerveiller par la requête d'un petit prince qui leur demanderait de dessiner un mouton. Un absolu cynisme ou une naïveté angélique font de mauvais articles, de mauvais journaux, de mauvaises émissions. L'incertain et confus combat entre les deux, le tiraillement permanent sont les seules recettes de la bonne distance.

Au-delà du partage de la corporation entre « les cyniques » et les autres, toute la vision du monde de Bourdieu est bipolaire. Ainsi, pour lui, les médias eux-mêmes se partagent en deux catégories. À ma gauche, les médias « du système », propagateurs pour la plupart de la pensée unique, propriété de grands groupes industriels, où règnent en maîtresses la loi de la concurrence et la contrainte de l'audimat. À ma droite, les médias alternatifs, *Le Monde diplomatique*, *Les Inrockuptibles*, et une poignée d'autres. Entre les deux, guère de place pour ceux qui pourraient être les « Wallisiens » du système, des médias de grande diffusion mais où pourraient subsister quelques étincelles de conscience professionnelle.

Bourdieu n'est d'ailleurs pas le seul à partager ainsi l'univers médiatique entre bons et méchants, cowboys et Indiens. Pour le pape libertaire américain de la méfiance envers les médias, Noam Chomsky, qui s'en

expliquait dans un court pamphlet de format bourdieusien consacré à dénoncer « les dessous de la politique de l'oncle Sam[1] », le paysage se partage aussi
entre « les médias de masse et les médias alternatifs ».
« Les institutions dominantes, écrit Chomsky, ne sont
pas à l'abri des pressions publiques. Les médias indé-
pendants (alternatifs) peuvent également jouer un
rôle important. Bien qu'ils manquent de ressources,
presque par définition, ils gagnent de l'importance de
la même manière que les organisations populaires : en
rassemblant des gens aux ressources limitées. »

Cette simplification masque pourtant la « zone
grise ». De même que la terrible frontière de la corruption ne coïncide pas avec la barrière fatidique des plus
ou moins trente ans, « bons » et « mauvais » médias ne
sont hélas pas toujours aussi distants qu'on le suggère
parfois. Prenons un exemple. Dans la représentation
bourdieusienne, il existe un « bon » journal : *Le Monde
diplomatique*. Et il en existe un « mauvais », soumis aux
pressions de l'audimat, compromis jusqu'à la moelle
dans le système des « gros titres » : *Le Monde*. Un seul
inconvénient : *Le Monde diplomatique* (média alterna-
tif) est une filiale du *Monde* (média de masse). Mais
penser cette proximité perturberait le schéma de
Pierre Bourdieu. Exposer les liens (financiers, affec-
tifs ou d'image) unissant *Le Monde* et *Le Monde diplomatique* affaiblirait la rhétorique des lyncheurs de
médias, qui préfèrent évacuer la question.

Chercheurs-reporters envoyés « couvrir » la crise
des médias, Bourdieu et Halimi ne se livrent-ils pas,
avec leur sujet d'étude, à une simplification identique

---

1. Noam Chomsky, *Les Dessous de la politique de l'oncle Sam*, Paris, Le
Temps des cerises, 1996.

en tous points à celles qu'ils dénoncent ? N'ont-ils pas délibérément choisi de considérer le paysage journalistique à travers ses moments et ses lieux de crise ? Sculptant, avec les traits de BHL ou de Poivre d'Arvor, des figures du Mal médiatique absolu, procèdent-ils différemment des médias dominants, si habiles à faire de Saddam Hussein ou Milosevic les emblèmes du Mal ? Les quelques éditorialistes-vedettes stigmatisés par Halimi sont-ils plus représentatifs de la profession de journaliste que les « casseurs » de la totalité des « jeunes des banlieues » ? Certes, les caméras se font un malin plaisir de montrer les voitures qui brûlent, image forte, susceptible de frapper les imaginations des téléspectateurs et de réveiller les fantasmes. Mais Halimi procède-t-il autrement en agitant à chaque page les salaires des Ockrent, Carreyrou, Poivre d'Arvor, et autres millionnaires de la profession ? Jetant ainsi ces millions aux yeux des lecteurs effarés, est-on certain de jouer sur une corde plus digne, plus rationnelle, plus citoyenne, que les médias qui se focalisent sur les « casseurs » ? Les chiffons rouges de Bourdieu – censure, audimat – sont-ils vraiment de nature différente du « foulard islamique » ou des « mosquées intégristes » agités comme d'autres chiffons rouges aux yeux des xénophobes et des racistes ? Et si l'audimat, le terrible audimat, ce monstre à grandes dents, ce dictateur, n'était au fond qu'un autre mot pour désigner la patiente, fiévreuse, inquiète recherche du public, comme le « tchador » pourrait bien n'être qu'un modeste fichu ?

Chaque phrase de Bourdieu stigmatisant la stigmatisation médiatique des banlieues, au fond, ne pourrait-elle pas lui être retournée ? Ne suffit-il pas d'en changer quelques mots ? Ainsi, substituant un objet à un autre, pourrait-on écrire : « Les sociologues [journalistes], portés à la fois par les propensions inhérentes à leur métier, à leur vision du monde, à leur formation, à leurs dispositions, mais aussi par la logique de la profession, sélectionnent dans cette réalité particulière qu'est la vie des médias [banlieues] un aspect tout à fait particulier, en fonction de catégories de perception qui leur sont propres. [...] Pour les médias [banlieues], ce qui intéressera ce sont les dérapages [émeutes]. [...] Et les mots peuvent faire des ravages : audience ou audimat [islam, islamique, islamiste] – le journaliste cherche-t-il l'audience ou l'audimat ? [le foulard est-il islamique ou islamiste] ? Et s'il cherchait à être lu ou écouté, *sans plus* ? [Et s'il s'agissait simplement d'un fichu, *sans plus* ?] [...] Ces mots créent des fantasmes, des peurs, des phobies, ou simplement des représentations fausses » (p. 18-19).

Donc, Bourdieu simplifie, comme les médias dominants. Ainsi trouve-t-il son public. Mais cela ne nous dispense pas d'une réflexion sur le reproche adressé aux journalistes, notamment par les responsables politiques. Les médias simplifient-ils outrageusement une réalité politique complexe ? Qu'on me permette, une fois encore, un souvenir personnel.

Cinq minutes avant la fin d'une émission de Canal+, « Le Grand Forum », Hubert Védrine, ministre des Affaires étrangères, fut interpellé sur la politique française au Rwanda. La France, oui ou non, avait-elle, comme on l'en accusait, armé le bras des auteurs du génocide ? Le ministre s'offusqua, et refusa ostensiblement de « jouer le jeu » : impossible, répéta-t-il, de répondre par oui ou par non en quelques minutes à une si complexe question. Il y faut

45

davantage de temps. Et il lança un défi à l'animateur de l'émission : consacrez donc une heure au sujet, et nous verrons. Puis il campa sur ce refus, jusqu'au compte à rebours final, qui abandonna les téléspectateurs sur une ultime question sans réponse.

Je me rangeai d'emblée aux côtés du ministre. Vraiment, ces journalistes de télévision, quelle outrecuidance ! Oser prétendre traiter en cinq minutes d'une question aussi délicate et douloureuse que la responsabilité française dans le génocide du Rwanda ! De toutes mes fibres, je vibrais avec le digne représentant du temps politique, temps de la complexité et des nuances, des tenants et des aboutissants, contre celui du temps médiatique, de ses grosses caisses et de son cortège de simplifications.

Je me dis donc : chiche. Il doit être possible, en une heure de télévision, de tenter de cerner de manière contradictoire et nuancée les responsabilités françaises au Rwanda.

Nous organisons donc cette émission à « Arrêt sur images ». Nous invitons Hubert Védrine, qui accepte volontiers. Nous enquêtons. Nous construisons un plan, le plus pédagogique possible. Hubert Védrine arrive, et nous enregistrons l'émission. Questions, réponses, relances, il dispose cette fois, me semble-t-il, de tout le temps nécessaire pour expliquer la politique française au Rwanda et la resituer dans son contexte. Mais après quarante-cinq minutes, alors que l'heure des conclusions approche, le ministre nous fait remarquer, avec une pointe de reproche : « Vous sautez à la conclusion... »

Ainsi, une heure était encore, à ses yeux, un temps trop court. Combien lui fallait-il donc ? Une journée entière ? Un doute m'effleura. Et si ce n'était jamais assez ? Et si la Simplification médiatique n'était que l'alibi des vérités qui refusent de se dire, parce qu'elles sont indicibles ou indécentes ? Des vérités compliquées il faut parfois savoir tirer des conclusions simples et déchirantes. Coupable ou non coupable. Oui ou non. La vie ou la mort. Et si l'heure exigée par le ministre n'avait été, au fond, qu'une formule ?

Guère d'autres solutions, en fait, pour le journaliste, que des aller et retour perpétuels entre les mille nuances du réel et l'exigence de concision. On peut s'y épuiser ou s'y perdre. On peut aussi y trouver son accomplissement. Chaque mot que j'écris, chaque seconde de l'émission que je produis, que trahissent-ils, que restituent-ils ? Pour la plupart des journalistes, couper leur article est une souffrance sans nom. J'avoue sans honte y prendre personnellement plaisir. Élaguer, mes œuvres ou celles des autres, me procure une vraie joie. Faire gagner du temps au lecteur, quelle satisfaction plus vive ? Simplifier le plus possible une histoire sans la trahir, la ramener à l'épure, la faire maigrir, n'est pas à mes yeux une contrainte. C'est une œuvre majeure du journalisme. Tout article de sept ou huit feuillets peut au fond se réduire à un seul : s'il n'est habité de cette indécente conviction, tout apprenti journaliste se prépare une existence de stériles souffrances.

Journalistes de presse écrite et de télévision sont d'ailleurs, à cet égard, soumis à des contraintes communes. Que l'on raconte avec des mots ou des images, que l'on rédige un article du *Monde* ou que l'on « monte un sujet » pour le « 20 heures », l'obligation de simplification demeure. De cette communauté de contraintes, je n'ai pas toujours eu conscience. La presse écrite, média de la raison, contre la télévision, média de l'émotion : cette opposition, qui m'aveuglait quand je commençai à rédiger la chronique de télévision du *Monde*, et me paraît toujours globalement fondée, m'a longtemps masqué une commune obligation de simplification, qui rend les deux métiers plus semblables que je ne voulais l'admettre. Certes, on ne raconte pas les mêmes histoires avec des images et avec des mots. Mais outre que l'on peut faire pleurer ses lecteurs avec des mots, et faire réfléchir ses téléspectateurs avec des images, on peut restituer la complexité avec des images, aussi bien que la trahir avec des mots. Mots et images trahissent ou servent aussi bien le réel. Tous deux peuvent viser au-dessus ou au-dessous de la ceinture : tout dépend du tireur. C'est avant tout affaire de talent, et de conscience de ses obligations à l'égard de la complexité, qui se trouvent à parts égales chez les journalistes de télévision et leurs confrères de la presse écrite.

Allons plus loin : simplifier ou restituer la complexité n'est affaire ni de support, ni même de longueur. Certes, rien ne vaut le confort du temps. Chaque année voit éclore plusieurs longs documentaires de télévision comme autant de rappels que l'image peut être porteuse, et avec quelle richesse, d'informations. Que l'on repense au *Yougoslavie, suicide d'une nation* de Brian Lapping produit par la BBC, ou, en France, aux *Dix Ans d'histoire secrète*, de Philippe Kieffer et Marie-Ève Chamard, qui peignaient si bien les coulisses des réformes de l'audiovisuel. Mais il n'est pas nécessaire de se lancer dans des formats si ambitieux. Le magazine « Capital » (M6) est souvent très éclairant sur les ressorts de l'économie. Et même au sein des journaux télévisés et des émissions en direct, dans l'océan quotidien des autopromotions et des effets d'annonce sans lendemain, là où la télévision est le plus asservie à l'urgence et à l'oubli, il arrive que de vraies images, porteuses d'informations, en disent davantage que de longs récits. Je me souviens du geste de Maurice Papon, avant son procès, repoussant d'un revers de la main les photos de deux fillettes bordelaises déportées que lui tendait, avec une insistance sans doute peu innocente, le présentateur Paul Amar. Ce geste, ce simple geste, ne nous révélait-il pas, aussi efficacement que six mois d'un procès languissant, le fond d'âme fait d'autosuffisance, d'absence de remords, d'un haut fonctionnaire de Vichy ? Je me souviens, dans une salle d'aéroport, du visage de Francis Ford Coppola croisant Emir Kusturica. Manifestement, Coppola ne savait pas qui était Kusturica. Cela ne nous disait-il pas, mieux que de longues analyses, l'égotisme du cinéma américain ? Les reportages de Claude Sempère (France 2) sur la Corse, ceux de Michael Darmon (France 2 aussi) sur le Front national, les reportages de Nicolas Poincaré sur France-Inter et France-Info, les débats organisés chaque soir par David Pujadas sur LCI entre autres exemples, démontrent que l'image et le son peuvent porter une information exigeante, rigoureuse et pertinente.

J'ajoute qu'il ne faut pas confondre simplification et inexactitude. Une information peut être simple et vraie. Elle peut être complexe et fausse. Un exemple. *Actes de la recherche en sciences sociales*, revue dirigée par Pierre Bourdieu, a consacré voici quelques années un long article (vingt-trois pages) au traitement journalistique de l'affaire du sang contaminé[1]. Patrick

1. *Actes de la recherche en sciences sociales*, mars 1994.

Champagne et Dominique Marchetti s'étaient alors fixé pour but de démontrer que le « scandale » de la contamination des hémophiles avait été « reconstruit » a posteriori par des médias sensationnalistes qui, à l'époque des faits, n'avaient vu que du feu au scandale en question, ne se montrant guère plus clairvoyants que les politiques et les hauts fonctionnaires impliqués. Il s'agissait, plus largement, de montrer comment le journalisme avait exercé son emprise sur cette affaire-là et l'avait remodelée selon ses lois propres, privilégiant les aspects les plus « scandaleux » – comme la contamination des enfants hémophiles, idéales victimes télévisuelles, pures images d'innocence foudroyée – et délaissant les autres –, comme la collecte du sang contaminé dans les prisons, volet de l'affaire sans victimes ni bourreaux évidents, et en effet moins médiatisé.

S'en fussent-ils tenus là, l'entreprise eût été digne d'intérêt, et salutaire. Les mécanismes propres aux médias ont en effet, à partir d'une affaire d'une effroyable complexité, fabriqué un feuilleton simpliste, avec victimes et coupables. Démonter ce feuilleton, montrer par quelle implacable mécanique la réalité de l'affaire en fut déformée était une tâche d'intérêt général, et Champagne et Marchetti s'en acquittèrent de manière globalement convaincante, donnant une bonne idée de ce que pourrait produire une déconstruction sociologique sérieuse du journalisme.

Mais, emportés par leur élan, nos deux investigateurs bourdieusiens se lancèrent dans une vaste offensive contre les journalistes en général, et Anne-Marie Casteret en particulier. Pourquoi elle ? Depuis 1991, Anne-Marie Casteret, journaliste à *L'Express*, où elle a révélé le scandale de la contamination des hémophiles, est une sorte d'emblème de la profession. Dès que les journalistes se sentent mis en cause pour connivence avec les puissants, ils se défendent en se retranchant derrière Casteret. Nous n'avons pas révélé le cancer de Mitterrand, son passé vichyste, l'existence de sa seconde famille ? Oui, mais voyez Casteret, son intransigeance avec les pouvoirs établis, son travail magnifique !

Il s'agissait donc, à travers un des exploits les moins contestables du journalisme d'investigation de la décennie, de jeter la suspicion sur le « champ journalistique » tout entier. Mais comment faire ? Deux des reproches favoris adressés par les bourdieusiens à la corporation des journalistes – la connivence et l'incompétence – étaient à l'évidence inapplicables à Casteret, véritable encyclopédie vivante de l'affaire. On allait donc trouver autre chose : l'accuser d'avoir été à la traîne de l'hebdomadaire d'extrême droite *Minute*.

Relatant le difficile combat des hémophiles pour « convaincre la presse » et faire éclater le scandale, nos investigateurs bourdieusiens retracent donc la généalogie de sa médiatisation. Ils assurent que Jean Péron-Garvanoff, créateur de l'Association des polytransfusés, a sollicité « en vain » tous les journaux d'information générale avant de parvenir à convaincre *Minute*, qui, le premier, utilise à la une le mot « scandale » sans guillemets. « Il trouve alors une oreille plus attentive auprès d'Anne-Marie Casteret », écrivent Marchetti et Champagne. CQFD.

Hélas pour eux, cette généalogie est fausse. Anne-Marie Casteret avait bel et bien signé, en décembre 1987, soit plusieurs mois avant *Minute*, un article sur la tragédie des hémophiles. Depuis l'offensive des bourdieusiens, elle n'est jamais parvenue à se débarrasser de la tare imaginaire d'avoir été à la traîne de *Minute*. Mais qu'importent les faits ! Un « scoop » journalistique, aux yeux des bourdieusiens, ne saurait pas être chimiquement pur. Il doit être le produit frelaté d'un « champ », d'une série de « contraintes », il doit exercer sur le réel une « violence symbolique », etc. L'enquête des sociologues n'était certes pas soupçonnable de verser dans la simplification. Il n'en reste pas moins qu'elle était fausse.

Diana et l'audimat

Une image d'horreur : il y a un pied dans la porte. Et c'est le mien.

Je suis parti « tenter de comprendre » un infanticide, ou bien une affaire de professeur trucidé par un élève en plein cours, je ne me souviens plus très bien. Ma vieille amie Urgence, cette fois encore, est du voyage, et l'heure du bouclage, comme d'habitude, approche. Je rassemble les éléments d'enquête. J'arrive hors d'haleine chez des voisins de la victime, bouleversés. Ces pauvres gens n'ont aucune envie de parler à la presse. Ils n'ont qu'un désir : qu'on les laisse seuls avec leur chagrin. Mais leur témoignage m'est nécessaire. Je sonne. Un homme a entrouvert la porte, il va la refermer, éjecter l'intrus. Alors un pied se glisse dans cette porte pour la maintenir ouverte, pour qu'ils crachent tout de même les trois phrases qui me feront un **beau** reportage bien saignant, bien humain, bien bouleversant, et ce pied, c'est le mien. C'est mon pied, là, dans la porte de ces gens foudroyés par le malheur.

Cela a duré une demi-seconde, et j'ai vite retiré le pied coupable, mais je l'ai fait, moi, j'ai glissé mon pied dans la porte des infortunés, j'ai osé.

Je ne le referai jamais plus mais je l'ai fait une fois, j'ai rejoint la cohorte des barbares, de ceux qui font brûler les voitures dans les banlieues pour avoir de belles photos, de ceux qui placent des nounours sur la tombe des enfants morts pour avoir de belles photos, de ceux qui envoient leurs micros dans le nez des gens que les gendarmes emmènent, je suis de cette bande-là, des chacals et des obscènes, ce que j'ai fait ne vaut pas mieux, j'ai mis un pied dans la porte, et tiens, que penserait donc Viansson, à propos, mon cher Viansson, s'il me voyait ?

Je suis un charognard, un chacal. Je ne l'oublierai jamais. Un chacal par nécessité, qui se surveille parfois simplement un peu mieux que les autres, qui tente de s'oublier un peu moins. Mais je suis un chacal.

Être journaliste – je veux dire au cœur du journalisme, correspondant de guerre ou grand reporter –, c'est être un chacal. C'est aller où la mort appelle. C'est n'avoir pour boussole que l'odeur de la pourriture. De la vraie pourriture physique parfois, ou bien de ces morts symboliques que sont les faillites, les déconfitures, les mises en examen, les décompositions d'empires, les corruptions.

J'ai dit : au cœur du journalisme. Je maintiens. Dans le monde du journalisme gangrené par la communication, le grand reporter est le seul qui n'ait d'attache avec personne. Les journalistes des services politiques sont fiers de leur familiarité avec les hommes politiques. Les journalistes économiques entretiennent des relations suivies avec les entreprises. Aux informations générales du *Monde*, service chargé des faits divers et de la chronique judiciaire, nous ne recevions jamais de cadeaux de Noël. Ni bouteilles de champagne – qui nous en eût envoyé ? les criminels ? les érotomanes ? les juges d'instruction ? les victimes d'inondations ou de glissements de terrain ? – ni familiarité avec les puissants. Rien que nos réseaux à reconstruire chaque semaine, nos sources à rebâtir pour chaque nouvelle enquête, notre baluchon à reprendre à chaque nouveau reportage. Les autres, les éditorialistes économiques, les rubriquards politiques, les critiques de théâtre ou de télévision, les reporters sportifs, les chefs, grands chefs et super-chefs, tous les autres s'étaient éloignés du cœur palpitant et nauséabond du journalisme. Ainsi le ressentais-je à l'époque. Depuis, je m'en suis moi-même éloigné. Mais pour comprendre ce métier, je crois qu'il faut avoir connu la tentation du pied dans la porte. Il faut avoir senti l'odeur si particulière de la mort. Il faut avoir été, dans une vie antérieure, un chacal.

On goûte la mort. On peut aussi la donner soi-même, j'entends symboliquement. Cela se passe par étapes, comme une initiation amoureuse. D'abord, on découvre son pouvoir. Tout journaliste fait un jour cette expérience : il secoue l'arbre, et, éberlué, voit soudain tomber le ministre, le directeur de cabinet, l'arrière droit, le maire adjoint, le président du club, tous les puissants inaccessibles dont il lisait jusqu'alors les faits et gestes dans les journaux. Il regarde ses bras : il ne se savait pas si puissant ! Il n'imaginait pas les fruits si mûrs. Il n'imaginait pas franchir si facilement les barrages pour atteindre le pouvoir en son cœur putréfié. Il connaît désormais la puissance de la presse. Tout journaliste ayant vu de l'effroi dans les yeux d'un Inaccessible connaît désormais son pouvoir. Il sait que tout Inaccessible sera un jour à sa portée, le prendra au téléphone toutes affaires cessantes, se roulera à ses pieds. Il suffit de savoir attendre.

Les fruits pourrissent à terre. Alors monte lentement l'odeur fétide de la décomposition. Un village rasé par la soldatesque ennemie, un cabinet ministériel à l'heure où le ministre, après une longue campagne, est acculé à la démission, une famille endeuillée par un crime atroce : toutes ces odeurs se ressemblent. Le goût du sang est indissociable du journalisme. Au fond, l'exploit journalistique indépassable, c'est Woodward et Bernstein, « tombeurs » de Nixon. Jouissance de l'avoir poussé à la démission, jouissance du sang.

Je connais ces odeurs-là. Je n'en jouis pas. Je suis un chacal par nécessité. Je suis un chacal sans plaisir, un vilain petit chacal, le cancre à l'écart de la meute, qui goûte à la charogne du bout des lèvres, en chipotant. Je crois être au fond un très mauvais chacal. Ou peut-être, allez savoir, ces scrupules font-ils de moi un excellent chacal.

Par exemple : je n'aime pas le scoop. Le lecteur a bien lu : je n'aime pas le scoop. Le scoop m'ennuie. La chasse au scoop m'épuise d'avance.

Soyons précis : j'ai décroché, dans ma vie, mon content de scoops. J'entends des petits scoops destinés à ravir les lecteurs et non à épater les confrères, révélations nichées dans les paragraphes des articles, discrets cadeaux que vous savez être le premier à écrire et à offrir à ceux qui vous font l'honneur de vous lire. Ayant peu fréquenté les meutes, et plutôt enquêté en solitaire, je puis même affirmer que l'essentiel de ma production a été composé de ces exclusivités minuscules. Mais le gros scoop, le scoop majeur, le scoop manchette, assené à la une, avec coups de cymbales, reprises télé, martelage sur France-Info, démission à la clé : ce journalisme-là n'est pas le mien. Bien sûr, je le sais nécessaire. Quand une enquête débouche sur des révélations scandaleuses, leur publication ne me fait pas peur. Et je suis très fier que les enquêtes d'« Arrêt sur images », par exemple, contribuent semaine après semaine à semer l'effroi parmi les tricheurs les plus manifestes du petit monde de la télévision. Mais je sais trop de quel prix se paie souvent le scoop. Je sais d'abord la longue traque, le patient acharnement, le pied calé dans la porte. Je sais surtout les ascenseurs à renvoyer, la myopie obligatoire sur les faits et gestes des informateurs et des manipulateurs. Je hais le hurlement de joie du journaliste quand il apprend que le puissant a démissionné. Je n'aime pas la satisfaction primaire que prétend apporter le scoop au lecteur, ou au téléspectateur. Donc, je ne le cherche pas. Pas plus que je ne demande aux invités d'« Arrêt sur images » quelque exclusivité que ce soit. Plutôt que d'être « le premier » à recevoir tel ou tel, avant telle ou telle autre émission, je préfère tenter de lui poser les questions les plus pertinentes, les plus originales.

L'acharnement et les campagnes me répugnent. Dire ce que l'on a à dire, tourner la page, aller chasser ailleurs. Se replier et se déployer dans les mises en perspective, l'analyse, l'ironie.

J'entends d'ici les objections. Certes, toute vérité est toujours volée me concédera-t-on. Mais la voler aux puissants, à tout prendre, n'est-ce pas plus admissible que de caler son pied dans la porte des humbles ? Je l'admets, camarades. Pourtant il arrive aussi qu'un ancien Premier ministre, un soir de printemps, s'éloigne de la voiture de fonction sur les berges du canal, serrant son salut au creux de sa main, comme le dernier des misérables.

Nourrissant envers le fait divers la fascination-répulsion que je viens d'évoquer, je ne parviens pas même à comprendre le mépris affiché à son endroit par Bourdieu. « Le fait divers, écrit Bourdieu, c'est cette sorte de denrée élémentaire, rudimentaire de l'information, qui est très importante parce qu'elle intéresse tout le monde sans tirer à conséquence et qu'elle prend du temps.[1] » « Sans tirer à conséquence » : est-ce si sûr ? L'affaire Dutroux, en Belgique, ne tire-t-elle pas à conséquence ? Des centaines de milliers de personnes dans les rues de Bruxelles lors de la « marche blanche », l'État belge qui vacille sur ses bases, la police et la gendarmerie mises en cause par les parlementaires : cela ne tire-t-il pas à conséquence ?

Depuis toujours, le fait divers intéresse « les gens ». Ça ne nous regarde pas ? Le fait divers est par nature obscène ? Certes, mais ça nous regarde tout de même, comme la charogne regarde le chacal. Je ne voudrais pas le voir, mais je ne puis en détacher mes yeux. Le fait divers, qui nous offre soudain une coupe transversale inattendue dans un village, un immeuble, un milieu, est le matériau journalistique le plus éloigné de la communication, le discours le plus sincère sur l'état de la société. En cela, il est toujours étonnant. Un fait divers, c'est un atroce poème qui peut à chaque instant bifurquer vers le sordide ou le sublime. On ne sait jamais comment va se terminer un grand fait divers, de même qu'on ne sait jamais où nous

---

1. Pierre Bourdieu, *Sur la télévision, op. cit.* p. 16.

emportera une phrase poétique, où nous mènera un grand film.

Je ne sais si j'aime ou déteste le fait divers, mais je confesse à son endroit une ambivalence identique à celle des midinettes, grandes consommatrices de la vie et de la mort des princesses. Au lendemain de l'accident de Diana, les journaux télévisés montrèrent devant l'hôpital de la Salpêtrière des jeunes filles sanglotantes. Elles se proclamaient coupables. Elles reniflaient que « si elles avaient su », elles n'auraient pas acheté *Voici*, et n'auraient pas ainsi contribué à faire prospérer l'industrie des paparazzi. Pour étonnante qu'elle soit, cette repentance était en tout cas plus crédible que les diatribes des présentateurs des mêmes journaux télévisés contre les paparazzi, et ces millions de téléspectateurs acquiesçant mollement à la savante fabrication de ce bouc émissaire !

Le paparazzi, c'est les autres ! Comme ce serait facile ! Mais non. Le paparazzi, c'est moi. Moi téléspectateur, moi lecteur. Ne pas m'exonérer. Il m'est arrivé plusieurs fois de hurler contre les ouvertures du « 20 heures » consacrées à un épi-rebondissement de l'enquête sur la mort de Diana, alors que des attentats sanglants en Algérie étaient relégués dans les profondeurs du journal. Mais ne suis-je pas aussi coupable ? N'ai-je pas été client de la Dianamania, comme d'ailleurs de toutes les « manias » qui enflamment périodiquement les médias ? Pourquoi ai-je feuilleté tous les magazines consacrés à l'affaire ? Si la mort de Diana a frappé les imaginations, au point de faire systématiquement grimper les ventes des journaux, et l'audience des émissions qui en traitaient, les lecteurs et téléspectateurs n'en sont-ils pas coresponsables ? La Dianamania n'est-elle pas venue rencontrer, en moi-même, une sourde attente de ce tragique conte de fées ?

Nombre de diatribes consacrées aux médias gagneraient à englober dans leur opprobre lecteurs et téléspectateurs, qui ont les médias qu'ils désirent, et méritent. Elles gagneraient davantage encore à placer en première ligne l'auteur de la diatribe lui-même. Rien de plus dérangeant à « penser », pour un « critique de télévision », que ce pacte implicite entre émetteur et récepteur, entre lui-même et l'objet de sa détestation préférée. Rien de plus inavouable que ce trouble consentement au spectacle infâme, au bas divertissement. Comme on aimerait, à l'abri des murs de son salon, le tenir caché ! Comme tu aimerais, vertueux public, acquiescer impunément aux attaques bourdieusiennes, et vitupérer à ton aise les médias « sensationnalistes » qui t'offrent à la une le sang et les larmes des princesses en t'exonérant de toute responsabilité ! Hélas, tu es « mouillé » ! Ton consentement te trahit. Allons, ton doigt n'est pas allé tout seul, chercher la première touche de la télécommande !

Un autre exemple. *Le Monde* s'est rallié depuis quelques années à une pratique journalistique commune en multipliant les manchettes à la une. Vive le titre-choc qui attire le lecteur ! Cette pratique m'a heurté, et me heurte encore occasionnellement. Je confesse une nostalgie pour les anciens titres en trois lignes des années 1970, avec atténuations et conditionnels qui, s'efforçant stoïquement de suivre les méandres des jeux politiques ou diplomatiques, marquaient fièrement l'irréductible différence du *Monde* avec le reste de ce qu'on n'appelait pas encore le « système médiatique ». Oui, mais voilà. Je me souviens d'un samedi après-midi, voici quelques années. Passant le week-end en province, j'avais décidé de m'offrir quelques heures d'évasion et, exceptionnellement, de ne pas acheter *Le Monde* ce jour-là. Soudain, devant une maison de la presse, mon œil tombe sur une manchette du journal consacrée à un énième rebondissement du feuilleton judiciaire de Bernard Tapie. Et voilà qu'une main se glisse dans ma poche pour trouver sept francs, et que cette main, c'est la mienne. Moi, le farouche nostalgique du temps d'avant les manchettes, je me précipite sur le journal qui a « monté à la une », une fois de plus, le mauvais feuilleton Tapie.

« Le public n'a pas le choix », assure-t-on parfois pour l'exonérer. S'il regarde TF1, s'il achète *Voici*, c'est parce qu'on ne lui offre rien d'autre. Cet argument est méprisant. Si le public regarde TF1 et lit *Voici*, c'est en toute connaissance de cause, parce qu'il désire, dans une région obscure de lui-même, la marmelade d'ambitions, d'amours et de détresses que lui offrent ces médias. Parce qu'il y discerne des vérités profondes, souterraines et éternelles, que lui refusent des sujets plus nobles, des discours plus policés.

Passant de l'autre côté, celui de l'émetteur, je me suis efforcé de ne jamais perdre de vue le pacte maudit. « J'adorerais traiter tel sujet, y consacrer une émission, mais c'est trop haut de gamme, trop difficile pour mes lecteurs ou téléspectateurs. Cela ne les intéressera pas » : voilà une phrase, Dieu merci, que je ne me suis jamais entendu prononcer. Le jour où cela m'arriverait, il serait temps pour moi de quitter le métier. Rien n'est plus dégradant que la résignation à une idée présupposée du sujet qui attirera l'audience. Tenter d'intéresser lecteurs ou téléspectateurs à ce qui m'intéresse personnellement, je ne connais pas de meilleure définition du métier de journaliste.

La perversion commence dès que le journaliste commence à bricoler une théorie du « public ». Pas d'autre moyen d'exercer ce métier que de croire son lecteur, ou téléspectateur, intéressé par les mêmes sujets que soi-même, disposant du même niveau de culture, vibrant aux mêmes sujets de révolte, accessible aux mêmes plaisirs, aux mêmes bonheurs, et démangé aussi par le même prurit voyeuriste que soi-même. Ni ange ni bête, ange et bête à la fois : mon lecteur, c'est moi.

Chercher ou ne pas chercher l'audimat ? Je plaide encore coupable. Depuis mes premiers articles, j'avoue avoir écrit pour être lu, et conçu mes émissions pour qu'elles soient vues. Je me souviens de mon enfantin plaisir, quand, dans le métro, je surprenais un voyageur en pleine lecture d'un de mes articles. Allait-il poursuivre jusqu'au bout ? Quelle déception quand il tournait la page avant d'avoir lu la dernière ligne !

Je n'aperçois donc aucun crime, bien au contraire, à tenter d'attirer le plus large public possible. Commencer un article par une anecdote accrocheuse plutôt que par un complément circonstanciel de lieu ou de temps, telle est la principale recette apprise à l'école de journalistes, et que je me félicite d'avoir définitivement acquise. Anecdote, j'ai bien dit anecdote, le vilain mot ! J'avoue : lecteur de presse, je me suis toujours précipité sur les anecdotes. Après une enquête, c'est même toujours dans ma gibecière d'anecdotes que j'ai cherché en priorité mes « attaques ». En trois lignes, une anecdote bien choisie en dit davantage qu'une savante analyse. Un lecteur ou un téléspectateur n'est jamais définitivement gagné. Ne pas le laisser fuir avant la fin de l'article ou de l'émission, relancer régulièrement l'intérêt par des séquences plus faciles, voilà les petites recettes que je m'autorise, je l'avoue, pour « hameçonner » le public.

S'agissant d'« Arrêt sur images », il me paraît important que notre programme de décryptage des médias soit accessible au plus grand nombre. « Dorénavant, je ne regarde plus la télé de la même manière » : chaque fois que je lis cette phrase sur un message ou dans une lettre, je la reçois comme une bienfaisante reconnaissance du travail accompli. Ce ne sont pas seulement les convaincus d'avance, mais tous les téléspectateurs du « 20 heures » qui ont besoin de connaître les recettes de leur brouet télévisuel quotidien, d'apprendre à discerner les messages implicites qu'il véhicule. Et ce n'est pas à eux de cheminer vers nous : c'est à nous de nous mettre à leur portée.

Que l'audience d'« Arrêt sur images » ne soit pas plus élevée me plonge dans une neurasthénie chronique. J'ai bonne mine à disserter sur l'audience quand notre programme est regardé par dix ou quinze fois moins de téléspectateurs que les émissions qu'il décortique ! Dans mes insomnies, je vois parfois défiler un par un les millions de téléspectateurs qui ne nous ont jamais regardés et peut-être ne nous verront jamais. J'imagine les foules des trains et des supermarchés qui continuent de croire vrai ce que dit la télévision, de boire les paroles de PPDA, qui continuent peut-être – mais allez savoir ce que croient vraiment les téléspectateurs – de penser que l'accident de Diana fut l'événement le plus important de l'année 1997, que la popularité du président a grimpé de 1 %

ce mois-ci, que les massacres ont cessé au Congo parce qu'on n'en parle plus, que les invités des émissions de variétés rient vraiment quand on nous les montre en train de rire, que le gouvernement a organisé un séminaire à la campagne pour travailler vraiment et non point pour offrir une belle image au « 20 heures », que tel gouvernement étranger, tel syndicat, se partage vraiment entre « les durs » et « les modérés », que la pédophilie ou le foulard islamique sont les « problèmes de société » les plus importants de cette fin de siècle, que les feuilletons diffusés sur ces grandes chaînes reposent sur de vrais scénarios et ne sont pas uniquement des attrape-audience, que les banlieues sont peuplées de jeunes loubards et de familles terrorisées, qu'il est vrai que ces gendarmes-là ont arrêté ce malfrat-là uniquement parce qu'ils ont vu l'image de ces gendarmes et de ce malfrat...

Je sais bien que nous avons toutes les excuses du monde. La Cinquième est une chaîne encore jeune que les foules n'ont pas pris l'habitude de regarder. L'horaire est mauvais, la concurrence est rude. Mais n'empêche ! Ces millions de braves gens, de citoyens de la République, avons-nous fait tout ce que nous pouvions pour les attirer à nous ? Notre vertueux refus du racolage ne les a-t-il pas maintenus éloignés ? N'eussions-nous pas dû, nous aussi, consentir à les racoler si peu que ce soit, à faire applaudir chacune de nos paroles par un public en délire, à montrer plus complaisamment des images violentes ou érotiques sous prétexte de les dénoncer, subterfuge classique qui réussit si bien à d'autres ? N'aurais-je pas dû parfois me forcer un peu plus à sourire, à me montrer attractif, composer un peu avec mon refus de « faire l'acteur » ? Nos scrupules, nos chers scrupules, à quoi donc nous servent-ils ? Nos mains sont propres, oui. Mais avons-nous des mains ?

Le problème du public ne se pose pas seulement au journaliste. Il se pose aussi, dans les mêmes termes, à l'intellectuel. Doit-il se contenter de publier, dans des livres arides, le résultat de ses recherches, ou bien doit-il s'efforcer de gagner à ses théories le public le plus large possible ? Refuser de s'exprimer dans les médias, n'est-ce pas renoncer à transmettre son savoir au plus grand nombre ? Mais aller aux médias, n'est-ce pas prendre le risque de la dénaturation, de la simplification ?

On imagine que cette question intéresse Pierre Bourdieu au plus haut point, et qu'il a fait l'effort de la « penser ». On se reporte donc à ce qu'il en écrit.

Précisément, les dernières pages de *Sur la télévision* y sont consacrées.

Bourdieu mesure d'abord la complexité d'un problème « dans lequel se sont débattus, et parfois empêtrés, tous les penseurs, dès le XIXe siècle ». Et, à propos de Mallarmé, « symbole même de l'écrivain ésotérique » qui « s'est préoccupé toute sa vie de rendre à tous ce qu'il avait conquis par son travail de poète » : « S'il y avait eu les médias, c'est quelqu'un qui se serait demandé : "Est-ce que je vais à la télévision ? comment concilier cette exigence de 'pureté', qui est inhérente à toute espèce de travail scientifique ou intellectuel, et qui conduit à l'ésotérisme, avec le souci démocratique de rendre ces acquis accessibles au plus grand nombre ?" » (p. 75).

Le savant est donc conscient du problème. Croit-on qu'il considère qu'il lui incombe de simplifier son propre discours, autrement dit de vulgariser ? Non. Il ne faut pas vulgariser. Il faut, analyse Bourdieu, « une

amélioration des conditions et des moyens de sortie »
(p. 76). Autrement dit, « lutter collectivement [...]
pour avoir la propriété de leurs moyens de diffusion
(p. 77) », ce que Bourdieu met en pratique avec Liber
Éditions. Posséder ses moyens de production, c'est-à-
dire pouvoir se passer de l'aide de ces intermédiaires
parasites que sont les journalistes.

Cela va-t-il rendre la pensée de notre sociologue
plus intelligible ? Que non pas, mais ce n'est pas le
but. Bourdieu préconise au contraire une solution
simple : mieux éduquer le peuple pour qu'il soit en
mesure de comprendre Pierre Bourdieu. Ce n'est pas
à Bourdieu de se placer à la portée du peuple, c'est au
peuple de s'élever pour pouvoir accéder à deux heures
de conférence sur « Le Canal du savoir », diffusé par le
Collège de France. « Il faut travailler à généraliser les
conditions d'accès à l'universel » (p. 77).

Pourtant, on n'a pas rêvé. Ce petit livre rouge lui-
même, *Sur la télévision*, qu'est-ce d'autre qu'une
œuvre de vulgarisation fort réussie ? En se livrant pour
le plus grand plaisir des lecteurs à un jeu de massacre
contre les intellectuels rivaux, en multipliant les
attaques gratuites, non argumentées, bien peu scientifiques, donc fort distrayantes, et susceptibles de
« reprises » dans les médias, quel est le but de Bourdieu sinon de rechercher l'audience ? Et ça marche !
Ainsi, c'est en traitant Bernard-Henri Lévy de « valeur
indiscutablement discutable » que Bourdieu s'est
acquis des « reprises » dans la grande presse, de la
même manière que les hommes politiques, s'ils
veulent qu'une partie de leur discours soit « reprise »
au « 20 heures », savent qu'il leur faut y insérer une
« petite phrase », distrayante, et qui nourrisse le feuilleton du sérail.

Il eût été intéressant d'entendre Bourdieu revendiquer et théoriser cette incursion dans le champ de la distraction. Oui, pour être audible, pour que mon discours puisse forcer le mur des médias, j'ai été obligé de le truffer de trouvailles quasi publicitaires, de formules plus ou moins heureuses, et de piques personnelles, propres à amuser les journalistes et à capter l'attention. Ainsi *Sur la télévision* a-t-il atteint un public bien plus large que les *Méditations pascaliennes* qui l'ont suivi, ou que le numéro d'*Actes de la recherche en sciences sociales* consacré à « l'emprise du journalisme » qui l'avait précédé. Mais cet aveu est impossible. L'audimat, c'est les autres.

Les grèves de 1995 et le débat

Tout cela nous amène à l'affaire du « rien » !

C'est fou comme un mot suffit parfois à attirer les ennuis. « Rien » !

Oui, les ennuis ont commencé avec ce « rien ».

Ce n'était, il est vrai, pas n'importe quel « rien ». C'était un « rien » de Pierre Bourdieu en personne.

Après la grève des fonctionnaires de novembre et décembre 1995 contre le plan Juppé de réforme de la protection sociale, plan dont le traitement par les médias, et notamment la télévision, m'avait semblé offrir une certaine prise à la critique d'unanimisme et de connivence avec « l'élite », je lançai à Bourdieu une invitation à venir décrypter ce traitement à « Arrêt sur images ».

L'invitation, il est vrai, reposait sur une arrière-pensée bassement journalistique : proposer au public une affiche alléchante, « Bourdieu à la télévision contre la télévision ». En dépit de cette coupable inclinaison pour « l'affiche », Pierre Bourdieu, à ma grande surprise, accepta tout de suite le principe de l'émission. Je le consultai sur le choix des contradicteurs qu'il souhaitait affronter, et sur les images qu'il souhaitait commenter. Nous lui fîmes parvenir les enregistrements de plusieurs émissions sur lesquelles nous lui proposions de se pencher.

Son choix se porta sur deux journalistes-présentateurs, Guillaume Durand et Jean-Marie Cavada. Tous deux me donnèrent immédiatement leur accord. Cette réaction était logique. Pour un journaliste, débattre avec Bourdieu, même vivement, être ainsi reconnu par Bourdieu comme interlocuteur possible, est toujours valorisant. « Vu à la télé avec Pierre Bourdieu » est un label bien supérieur à un simple « vu à la télé ». Bourdieu, quoi qu'il dise et fasse, pour les raisons exposées plus haut, est un distributeur de légitimité.

Enfin le jour vint. D'emblée, Bourdieu fut plus Bourdieu que nature, manifestant à chaque question sa douleur de ne pouvoir y répondre dans le temps ridiculement bref qui lui était imparti, en même temps que sa conscience aiguë de la stupidité de ladite question. Du reste, dès la huitième minute, les choses furent claires : « Les conditions dans lesquelles je vais parler à la télévision sont telles que je ne pourrai pas dire grand-chose », assura le sociologue d'une petite voix. Souffrant d'être à la télévision et affichant sa souffrance, Bourdieu offrait à cet instant l'image la plus télévisuelle possible. La télévision n'est jamais plus elle-même que lorsqu'elle offre en gros plan des icônes de souffrance. Souffrance de l'enfant qui meurt de faim, de l'attaquant qui a manqué son but, de la princesse pourchassée par les paparazzi et les médisances, de l'invité pris à partie par les autres invités d'un débat : souffrances rendues interchangeables par le gros plan, qui se rejoignent et s'équivalent.

Donc, l'émission suivit son cours. Multipliant les manifestations de respect pour le « grand esprit » qu'était Pierre Bourdieu, pour la « pertinence » de ses observations tout en ne cessant de l'interrompre, Jean-Marie Cavada, adoptant une étrange posture de prosternation exaspérée, fournit la vivante démonstration de l'ambiguïté des journalistes vis-à-vis du grand homme, tandis que ce dernier apportait la démonstration attendue qu'il ne « pouvait pas dire grand-chose ».

Bourdieu, Cavada et Durand marquèrent alternativement des points. Sur un épisode particulier, Bourdieu fut pris en défaut par Cavada. Il avait accusé ce dernier d'avoir défavorisé un chef des grévistes de la SNCF, le cégétiste Bernard Thibault, dans la répartition des temps de parole d'une récente « Marche du siècle », en ne l'encourageant pas assez explicitement à s'exprimer, et notamment en ne prononçant pas son nom pour l'inciter « personnellement » à parler. Cavada protesta. Pour les départager, nous rediffusâmes la pièce à conviction : l'extrait de l'émission de Cavada. Bourdieu avait tort. Cavada prononçait bien le nom de Bernard Thibault. Cavada triompha. Bourdieu n'avait pas regardé d'assez près l'extrait que nous lui avions pourtant confié avant l'émission. Cependant, il n'admit pas ses torts. Si ce n'était Cavada, c'était donc son frère. Je compris alors un ressort essentiel du système Bourdieu : les faits, les faits précis, les faits que l'on m'a appris, à l'école de journalisme, à révérer, les faits sont aux yeux de Bourdieu des accessoires négligeables, et même vaguement embarrassants. Si les faits s'obstinent à ne pas « coller » à la démonstration préconstruite, les faits n'ont aucune importance.

Au fil des minutes, sans que je m'en rende d'abord compte, l'« Arrêt sur images » de Pierre Bourdieu dévia donc de ses rails. On devait évoquer la télévision et les grévistes, mais insensiblement, à coup de petites protestations verbales – « c'est anecdotique, bien entendu, mais... » –, Bourdieu dériva vers un autre sujet, qui lui tenait manifestement davantage à cœur : « La télévision et Pierre Bourdieu ». Comment Jean-Marie Cavada l'avait prétendûment interrompu lors d'une précédente « Marche du siècle », où le professeur était venu assurer la promotion, en duo avec l'abbé Pierre, du livre qu'il venait de consacrer à *La Misère du monde* : voilà le tout premier sujet qu'il souhaitait manifestement évoquer. Pourquoi, comment, au nom de quels présupposés les journalistes interrompaient Pierre Bourdieu. Pourquoi ces présupposés étaient faux. D'ailleurs, après « La Marche du siècle », revenant dans son « Béarn natal », Pierre Bourdieu en avait eu la confirmation : « un ami » s'était indigné de ce qu'il eût été sans cesse interrompu par Cavada. « Un ami » : quelle était la valeur sociologique de cet échantillon ? Peu importait. Cet « ami » était à cet instant porteur de la sagesse populaire béarnaise dressée contre les présupposés des élites parisiennes.

Insensiblement, on s'acheminait vers le « rien » fatal. Bourdieu s'en prit ensuite à la manière dont étaient désignés les invités de ces émissions, et dont leurs engagements politiques ou partisans étaient parfois escamotés sous leurs titres ou leurs fonctions. Ainsi s'offusqua-t-il que l'on qualifie d'« économiste » Guy Sorman sans rappeler qu'il était aussi, à l'époque, conseiller du Premier ministre Alain Juppé, ou qu'Alain Peyrefitte soit simplement réputé « académicien » sans qu'il soit rappelé qu'il était aussi édi-torialiste au *Figaro*. J'approuvai. Il est important de désigner correctement et complètement les interve-nants d'une émission de télévision.

Encore faut-il que cette exigence s'applique à tout le monde. Nous avion tenu à rappeler, au début de l'émission, que Pierre Bourdieu s'était engagé publi-quement en faveur des grévistes. Mais peut-être était-ce insuffisant. Pris d'une inspiration, je lui demandai : « Et vous ? que faudra-t-il faire figurer sous votre nom ? » Alors Bourdieu : « Rien. – Depuis le début de l'émission, insistai-je, nous vous désignons comme sociologue – Sociologue, d'accord », concéda Bour-dieu. Les dés étaient jetés. Il avait prononcé le « rien » fatidique. Mais je ne le savais pas encore, innocent que j'étais.

Vers la fin de l'émission, Guillaume Durand revint à la charge, reprochant à Bourdieu de dissimuler ses engagements de citoyen derrière sa compétence de sociologue. Au fond, soutenir les grévistes, pour res-pectable que ce fût, n'avait rien de particulièrement scientifique, estima le journaliste. L'accablement du professeur redoubla. Dans un soupir, il rétorqua qu'il faudrait bien deux heures pour répondre à cette attaque. Intuitivement, mon premier mouvement fut de donner raison à Durand, tant il semblait à cet ins-tant incarner le bon sens. Mais tout de même ! Don-ner raison à Guillaume Durand contre Pierre Bour-dieu ! Les « deux heures » que réclamait le sociologue pour pouvoir valablement répondre à une attaque aussi vile, je me sentais coupable de ne pouvoir les lui offrir. J'éprouvais la honte du journaliste simplifica-teur. Quelle malédiction, quelle « violence symbo-lique », quelle vulgarité que de devoir rendre l'antenne après la durée fatidique, sans appel, bassement journalistique, de cinquante-deux minutes ! Ah oui, il eût fallu rompre les codes, briser les carcans et les dispositifs, déborder en direct, demander cette faveur à Cavada, alors président de la chaîne, et offrir à Bourdieu l'écrin que méritait l'exposé de sa pensée, deux heures, trois heures, la journée, la soirée entière !

Bourdieu sortit du plateau un peu sonné et perplexe, encore vacillant de sa propre audace, mais non point déconfit. Je le sentis presque ébranlé. Comment ? Il s'était jeté dans la gueule du monstre et il en ressortait entier ! Même interrompu, il avait pu développer sa pensée, livrer ses arguments, répondre à ses contradicteurs ! Pour ma part, j'avais apprécié qu'il fît taire ses préventions pour se jeter dans une expérience si douloureuse, son investissement dans la préparation de la bagarre – on sentait qu'il avait passé du temps en visionnage et montage – et son courage pendant l'épreuve. Sans doute, aveuglé par la cause à défendre, avait-il écarté les faits gênants, mais enfin on sentait son désir de se pencher réellement sur l'objet – la télévision – dont il parlait.

Puis nous n'entendîmes plus parler de... rien.

Quelques semaines plus tard, un autre numéro d'« Arrêt sur images » fut consacré à... notre autodécryptage. L'émission, qui dissèque chaque semaine les autres émissions de télé, considère en effet qu'elle doit se soumettre périodiquement au traitement qu'elle inflige aux autres. Nécessité presque hygiénique : il faut se souvenir que nous produisons nous aussi une émission de télévision, et rien de plus, c'est-à-dire un lieu dont tous les intervenants, animateur, chroniqueurs, invités, prennent des postures et font des numéros. Nous y invitâmes notamment un philosophe, Daniel Bougnoux. Quel mauvais génie me poussa donc ? Je demandai à Bougnoux de se pencher sur la mémorable émission Bourdieu-Durand-Cavada. Il choisit de commenter le fameux « rien » ! Nous le lui projetâmes sur le plateau. « Par ce mot, expliqua Bougnoux, il vous signifie que dans Bourdieu, il y a Dieu. » Et Bougnoux commit encore quelques moqueries du même acabit.

Que n'avait-il pas dit ? Quelques jours plus tard, le secrétariat de Bourdieu nous réclamait un enregistrement de l'émission coupable, que nous lui adressâmes volontiers. Et encore quelques jours plus tard, je recevais un appel d'Ignacio Ramonet, directeur du *Monde diplomatique*. « Cher ami, je dois vous informer que nous allons publier demain un article de Bourdieu qui vous met en cause. Évidemment, cet article vous ouvre un droit à réponse, dans les mêmes conditions que lui. » Ramonet avait poussé la prévenance, tout en ne m'avertissant que la veille de la parution, jusqu'à m'adresser une copie de l'article en question. Je lus, accablé. Sur une pleine page, Bourdieu livrait son propre compte rendu de nos entretiens téléphoniques préalables, maniant avec art l'insinuation, de manière à faire croire – mais sans jamais l'affirmer ouvertement – que j'avais tenté d'éviter à « Arrêt sur images » la mise en cause de Jean-Marie Cavada, par ailleurs président de La Cinquième, chaîne qui nous diffusait. Il laissait aussi pointer le regret qu'ait été rappelé sur le plateau le soutien public qu'il avait apporté aux grévistes, nous accusant d'avoir ainsi cherché à relativiser l'analyse « scientifique » des médias à laquelle il se livrait. Ainsi Pierre Bourdieu était le seul invité dont la télévision n'eût pas le droit de mentionner les engagements politiques ou sociaux !

Fondamentalement, il ressortait de l'article que son auteur ne supportait pas d'avoir été contredit ou interrompu, *a fortiori* par des journalistes. Toute idée de contradiction lui était insupportable. Pourtant, je ne rêvais pas : c'était bien le même que j'avais entendu murmurer au téléphone, alléché par le combat : « On me dit que je suis bien meilleur quand je suis en face d'une contradiction forte. »

L'article était par ailleurs assez confus, décryptant un certain nombre de dispositifs sans que l'on pût jamais savoir nettement si ceux-ci étaient ceux d'« Arrêt sur images » ou ceux des émissions critiquées par Bourdieu... sur le plateau d'« Arrêt sur images ». Pour Bourdieu, l'affaire ne devait pas s'arrêter là. Quelques mois plus tard, grâce à la diligence du « Canal du savoir », il s'inventa une émission de télévision à sa mesure, dans laquelle, sans être entravé par quiconque, il parla de la télévision tout en livrant l'image de ce que devait être selon lui l'intervention télévisée idéale : un cours magistral. Quelques mois plus tard encore paraissait sous sa signature le fameux *Sur la télévision*, dans lequel, sans jamais faire allusion à sa mésaventure à « Arrêt sur images », il développait ses vues. Il était déjà une vache sacrée, il devint un dieu. Le ressentiment antimédias fut le carburant qui le propulsa au pinacle. Quelques mois plus tard, il éditait l'ouvrage de Serge Halimi *Les Nouveaux Chiens de garde*, pamphlet contre le conformisme intellectuel, la lâcheté et la connivence avec les pouvoirs de la trentaine de journalistes les plus en vue de la presse parisienne.

Propulsés par une vigoureuse campagne de presse, les deux livres s'installèrent durablement au sommet des « meilleures ventes » des hebdomadaires. Encore une fois, cette rencontre avec le public était logique. Quel est en effet le principal reproche adressé par Bourdieu et Halimi aux médias ? D'être soumis à la « dictature de l'audimat ». Démonstration fut ainsi faite que rien n'était plus populaire qu'une charge contre l'audimat, c'est-à-dire la recherche obsessionnelle du plus large public.

Cette émission de 1996 est à ma connaissance la dernière circonstance publique au cours de laquelle le grand dévoileur de présupposés fut contesté « en temps réel ». C'est la dernière collision frontale entre les journalistes et leur contestataire en chef. Plusieurs des arguments développés pendant cette émission lui ont d'ailleurs fourni la matière de son livre. Ainsi (p. 34) revient-il indirectement sur la passe d'armes qui l'opposa à Cavada, à propos de la répartition des temps de parole. Et, sans s'y appesantir, d'une manière assez générale, il réitère ses attaques. « Le présentateur, écrit-il, distribue les temps de parole [...], respectueux ou dédaigneux, attentionné ou impatient » (p. 35). Toute référence explicite à Cavada a disparu.

Dois-je rougir d'avoir convaincu Pierre Bourdieu de se soumettre au feu roulant de la contradiction télévisée ? Dois-je regretter de l'avoir incité à descendre de son piédestal et entraîné dans le traquenard du (faux) direct avec des interlocuteurs indignes de lui ? En d'autres termes, ai-je commis le forfait si souvent reproché aux gens de télévision de brasser allègrement les légitimités, de substituer la confrontation des charismes, des sourires, des sincérités, à celle des savoirs et des compétences, de faire dialoguer le ministre et la chômeuse, le professeur de médecine et la chanteuse réincarnée ?

Je dois le confesser : je ne regrette rien. Avoir fait interpeller le professeur au Collège de France par le journaliste (et l'inverse) ne me paraît pas illégitime. Oui, sous les étiquettes – professeur, coiffeuse, ministre, chanteuse, journaliste – la télévision est une formidable machine à détecter les êtres humains. Je comprends que la perspective d'être, par l'œil noir de la caméra, dépouillé de son état civil et de ses diplômes, mis à nu sans respect, réduit à ses désirs, ses hantises, ses pulsions, ses secrets, soit terrifiante.

Pourtant, détenteur d'un grand pouvoir d'influence, plus influent en tout cas que nombre de ministres éphémères ou de journalistes interchangeables, Bourdieu est justiciable, comme les autres, du contre-pouvoir journalistique, de même que les journalistes doivent pouvoir faire l'objet d'enquêtes sociologiques et scientifiques.

Ce fut même, à mon sens, un beau débat au cours duquel chacun développa ses arguments, où apparurent les logiques antagonistes, dans lequel aucun ne terrassa l'autre, un de ces débats dont les téléspectateurs, je l'espère, sortent plus intelligents, mieux informés, meilleurs. J'ai beau tourner et retourner la chose dans tous les sens : l'interpellation de Durand, qui tient en trente secondes, appelait une réponse en trente secondes. De même, un respect minimum pour les faits commandait à Bourdieu, face à Cavada, de prendre acte de son erreur. Brièveté, respect des faits : voilà deux exigences bassement journalistiques qu'il eût été bien inspiré de respecter.

Un best-seller et les « bons clients »

Ce fut, incontestablement, l'événement de la rentrée littéraire 1997. Le livre trôna en ouverture de tous les suppléments littéraires des quotidiens et des hebdomadaires. Il suscita de ces « polémiques » dont les rédacteurs sont friands. Dès avant sa publication, un hebdomadaire parmi les plus efficaces distributeurs de légitimité – *Télérama* – lui avait consacré cinq numéros de suite. Cinq semaines durant, l'auteur se prêta de bonne grâce au jeu de l'interview, répondant à des questions aussi essentielles que : « À quoi sert la jupe ? » Ses réponses témoignèrent d'une belle élévation de pensée : « C'est très difficile de se comporter correctement quand on a une jupe. Si vous êtes un homme, imaginez-vous en jupe, plutôt courte, et essayez donc de vous accroupir, de ramasser un objet tombé par terre sans bouger de votre chaise ni écarter les jambes. » Et de disserter sur la différence entre le short et la jupe : « Un short, ça cache ce que ça cache, et ça montre ce que ça montre. La jupe risque toujours de montrer plus que ce qu'elle montre. » Cinq numéros de suite, on le voit, n'étaient pas de trop.

Télérama ne fut pas, loin s'en faut, le seul journal conquis par l'ouvrage. Même critique ou très critique du livre, qu'elle jugea presque unanimement sans grand intérêt, toute la presse lui consacra de longues pages. « Un manifeste d'amertume où se perdent à la fois le sociologique et le politique », conclut, visiblement perplexe, l'hebdomadaire *Marianne*, qui consacra néanmoins deux pages à cette amertume. « Il est sans doute plaisant de s'arroger les vertus du minoritaire héroïque pour répéter ce que tout le monde chante depuis vingt ans », persifla *Le Point* (six pages). « Un essai finalement peu convaincant », conclut *Le Monde* (deux pages).

La photo de l'auteur se retrouva à la une de nombreux hebdomadaires, comme celle d'un acteur américain. De belles photos, pensives et graves, posées avec soin. Quel magnifique exemple de matraquage médiatique ! Comme Pierre Bourdieu en eût tiré matière à des réflexions désabusées sur le suivisme des médias, leur capacité à imposer les « penseurs à la mode », les « *fast-thinkers* », et la capacité pour ces derniers de penser des sujets frivoles, sensationnalistes, sans enjeux ! Quel dommage que son livre sur la télévision ait été publié auparavant. Quels paragraphes au vitriol n'eût-il pas rajoutés, lui qui décrivait si bien (p. 24) ce phénomène de suivisme : « Si X parle d'un livre dans *Libération*, Y devra en parler dans *Le Monde* ou dans *Le Nouvel Observateur*, même s'il le trouve nul ou sans importance, et inversement. C'est ainsi que se font les succès médiatiques, parfois corrélés avec des succès de vente (pas toujours). »

Pierre Bourdieu, d'ailleurs, eût été bien placé pour analyser ce phénomène de moulinette médiatique, puisque le bénéficiaire de cette prolifération éditoriale n'était autre que... Pierre Bourdieu lui-même, auteur de ce fameux best-seller de rentrée (*La Domination masculine*[1]) consacré à l'étude des rapports hommes-femmes. Car Bourdieu a réussi cet exploit de devenir incontournable.

Dans son sillage, la mouvance bourdieusienne a su s'imposer aux médias. Ne pas parler du livre de Serge Halimi ? Un acte de censure. Ne pas traiter le film de Pierre Carles *Pas vu, pas pris*, qui ridiculise certaines sommités de la télé ? Un scandaleux acte de conni-vence avec lesdites sommités. Les bourdieusiens portent là encore l'attaque, en prenant évidemment soin de s'exclure eux-mêmes du champ de la recherche.

Mais qui sont, après tout, selon Bourdieu, ces « mêmes » à qui les médias sont accusés de donner toujours la parole ? Le sociologue n'y arrive qu'à la fin de son livre sur la télévision mais c'est le cœur de son propos. Ces « mêmes », ce sont les autres. Tout en affectant de refuser les attaques *ad hominem* – « les journalistes ont tendance à penser que le travail d'énonciation, de dévoilement des mécanismes, est un travail de dénonciation, dirigé contre des per-sonnes ou, comme on dit, des "attaques", person-nelles, *ad hominem* (p. 14-15) –, Bourdieu s'en prend... *ad hominem*, quelques pages plus loin, à Alain Minc et Jacques Attali, Luc Ferry et Alain Finkielk-raut, Jacques Julliard et Claude Imbert, etc. Jusqu'à Bernard-Henri Lévy mais avec, il est vrai, des réticences : « Ce n'est pas digne d'un sociologue de parler de Bernard-Henri Lévy... Il faut voir qu'il n'est qu'une sorte d'épiphénomène d'une structure, qu'il

---

1. Paris, Seuil, 1997.

81

est, à la façon d'un électron, l'expression d'un champ. On ne comprend rien si on ne comprend pas le champ qui le produit et qui lui donne sa petite force » (p. 63). Bourdieu, donc, ne s'en prend qu'aux épiphénomènes de structures. Et tant pis pour eux s'ils ont, par ailleurs, un nom. Et Bourdieu lui-même, d'ailleurs, de quelle structure est-il l'épiphénomène ?

Au-delà de la télévision, la cible de Bourdieu, ce sont ses rivaux, intellectuels d'un autre bord ou d'un autre genre, à qui la télévision a donné la chance de le dépasser en influence publique, lui, Bourdieu, pourtant consacré par l'institution suprême qu'est le Collège de France. Ainsi la télévision ferait-elle la promotion des « mauvais philosophes » ou des « mauvais historiens ». Halimi, dans *Les Nouveaux Chiens de garde*, qualifie par exemple François Furet de « mauvais historien ». Du haut de quelle chaire de « bonne histoire » ? Du haut de quelle compétence ? Bourdieu, à ce propos, donne une réponse qui fait froid dans le dos : « Un bon historien, c'est quelqu'un dont les "bons historiens" disent qu'il est un bon historien. » Au-delà de ce qu'il y a d'inquiétant dans la tautologie – quelle autorité, du haut de quelle Sorbonne moyenâgeuse, a-t-elle jadis intronisé les premiers « bons historiens », à charge pour eux de reproduire l'espèce au fil des siècles ? –, on notera que ce théorème affirme tranquillement que la discipline doit s'autoreproduire dans la pureté de ses laboratoires. Toute autre sanction – par exemple celle de la critique, censée rendre accessibles au public les travaux desdits « bons historiens » – est disqualifiée d'avance.

À la fin de l'année 1998, l'hebdomadaire *Les Inrockuptibles* donna à Bourdieu l'occasion de mettre ses théories en pratique en lui offrant d'être rédacteur en chef d'un numéro spécial de fin d'année. Dès l'éditorial des *Inrockuptibles*, Bourdieu annonça son projet : pour lutter contre la « censure spécialement pernicieuse, parce qu'invisible » , que fait peser « sur la vie culturelle et politique toute la logique du fonctionnement des médias », le sociologue avait décidé d'« ouvrir à quelques-uns de ceux qui sont exclus du cercle médiatique un espace de liberté ».

Enfin, Bourdieu rédacteur en chef ouvrait toutes grandes les portes des médias ! Enfin, on allait savoir de quels journaux libres nous privaient en temps ordinaire la paresse intellectuelle des journalistes, leur conformisme, leur soumission à la pensée unique, et cette coupable pratique de la « circulation circulaire de l'information » ! Le choix, par le « rédacteur en chef invité », des auteurs, des thèmes, de la mise en forme allait éclairer d'un coup de projecteur décisif les oubliettes des médias. Enfin on allait y découvrir, squelettiques, hâves, suppliants, les hommes politiques non médiatiques, les créateurs ignorés par les journalistes, les « acteurs sociaux » relégués hors champ, les thèmes laissés dans l'ombre par le cercle magique des projecteurs, toutes les victimes implorantes de la « censure invisible ».

On vit donc. On vit d'abord une soixantaine de pages de bons et de mauvais points, distribués par l'équipe de l'hebdomadaire enrôlée par le « rédacteur en chef invité », comme une sidérante métastase des rubriques « en hausse, en baisse » des magazines. « En baisse », Tony Blair (trop à droite), les adversaires du PACS (réactionnaires), le rival de toujours Régis Debray, rituellement ridiculisé au passage, et les journalistes en général, coupables de ne jamais réfléchir à leur métier. En passant, Daniel Cohn-Bendit, sans doute parce qu'il avait été victime de la fameuse « censure invisible », se vit accorder la faveur d'un éreintement sur trois pages.

Mais le plus intéressant, c'étaient les personnalités « en hausse ». Qui étaient les glorieux inconnus, interdits de médias, à qui Bourdieu trouvait enfin l'occasion de rendre justice ? On découvrit le couple formé par deux permanents du syndicat Sud-Aérien d'Air France, un « réseau de graphistes engagés », « touchés, au sens le plus humain du terme, par le besoin d'accompagner le mouvement social », des syndicalistes de la fonction publique. Il ne manquait dans le casting que l'intellectuel pur et dur, poursuivant son patient travail de recherche à l'écart de la frénésie médiatique. On le dénicha en la personne de Jacques Bouveresse, discret professeur au Collège de France, remarquable spécialiste de Wittgenstein, pratiquant « une philosophie rigoureuse et précise, aux antipodes de la confusion intellectuelle ambiante ». Promu emblème du « philosophe non médiatique », Bouveresse connut son quart d'heure de gloire warholien. Dans une interview à l'hebdomadaire, il se vit bombardé de questions comme : « Diriez-vous que la propension à l'approximation a été récemment renforcée par une plus grande médiatisation de la pensée ? », ou sommé de réagir à ce constat abrupt : « Les auteurs le plus souvent sollicités par les médias sont généralement des gens totalement déconsidérés du point de vue de la recherche universitaire. »

On rencontra encore deux dirigeants d'une même association de chômeurs (AC ! Agir ensemble contre le chômage) appelés à débattre de leurs stratégies – l'un était plus favorable que l'autre à l'encouragement des statuts précaires.

Tout ce petit monde était en ordre de bataille, n'attendant plus que la révolution pour prendre la place de Nicole Notat, de Luc Ferry et d'Alain Touraine dans les pages *people* des magazines. C'était en quelque sorte un *shadow magazine*, comme il existe des *shadow governments*.

La lutte n'avait pas oublié le plaisir au passage. L'ensemble était placé sous le signe de Noël et de la joie. Un « joyeux bordel » enguirlandé de houx trônait fièrement sur la couverture, cherchant manifestement à libérer « les forces de la joie », selon la formule d'un très ancien président de l'ORTF. De fait, quelle joie éclatait dans ces pages ! Les syndicalistes d'Air France se révélaient être des adeptes de la « perruque ludique » ; on faisait aussi la connaissance (deux pages) d'un groupe de potaches britanniques s'étant rendus coupables d'une « joyeuse manipulation artistico-médiatique » ; on découvrait un certain Maurizio Cattelan, « l'artiste le plus désopilant de ces dix dernières années » (pourquoi seulement dix, et pas vingt, ou soixante ?) ; le voisin du Collège de France, le philosophe Jacques Bouveresse, était réputé « nourri par l'ironie viennoise » ; à la CGT-Finances, on découvrait « une fédé où ça rigole ». Tout cela « sentait bon la culture éclectique et l'ouverture au monde qui bouge ».

Une lecture plus fine permettait pourtant de déduire que le casting de tous ces « acteurs du mouvement social » n'avait pas dû être trop ardu à mettre au point. Les syndicalistes d'Air France avaient fondé Sud-Aérien, et « se retrouvaient dans des luttes multiformes avec le DAL (Droit au logement), AC ! et les réseaux contre l'AMI ». Les graphistes travaillaient pour Sud et... AC ! Les deux militants contre le chômage étaient tous membres... du collectif AC !, quant à la lunaire association Points cardinaux, elle rassemblait des hauts fonctionnaires qui travaillaient avec le DAL et... la CGT-Finances.

Étrangement, il nous semblait connaître d'assez près certaines de ces victimes de la « censure invisible » des médias. Le DAL, on le sait, s'est fait une spécialité, grâce au renfort de personnalités aussi peu médiatiques que l'évêque de Parténia, monseigneur Gaillot, ou l'abbé Pierre, des occupations de locaux désaffectés pour y installer des familles sans logement, toujours dans un grand concours de caméras. Quant à l'association AC !, en jouant en virtuose du creux de l'actualité en fin d'année, elle est parvenue à donner aux occupations d'antennes ASSEDIC en 1997 un impact médiatique national. Bref, en comparaison avec d'autres associations caritatives comme le Secours catholique ou le Secours populaire, le DAL ou AC ! ne sauraient passer pour des laissés-pour-compte des médias.

Cela dit, le reproche de « toujours donner la parole aux mêmes » n'est évidemment pas infondé. Les médias privilégient-ils certains penseurs, certains travaux, certains livres, et évidemment toujours les mêmes ? Autrement dit, déforment-ils le champ intellectuel en réglementant, selon leurs seuls critères, l'accès à l'« espace public » au bénéfice d'un petit nombre de « producteurs culturels », toujours les mêmes ? Privilégient-ils les « intellectuels médiatiques », les « bons clients » de plateau, ceux dont les animateurs savent qu'ils parleront d'abondance et tiendront des propos assez « passe-partout » pour ne poser problème à personne ?

En étendant le champ du problème, on en saisit bien l'enjeu : se recroquevillant par suivisme, par paresse intellectuelle, sur un échantillon de « clients » sur mesure, pensant bien, parlant bien, les médias se laisseraient peu à peu couper des diversités et des rugosités du réel. Ainsi, comme la nomenklatura politico-économique, se laisseraient-ils périodiquement surprendre par des mouvements sociaux qu'ils n'ont pas vu venir, qu'il s'agisse par exemple des grèves de l'automne 1995 ou, survenant d'un autre extrême du champ social, du lepénisme.

Comment résister au rétrécissement obligatoire du champ de vision ? Je discerne bien le danger à « Arrêt sur images ». Dieu sait si, chroniqueur de télévision, j'ai maudit les émissions qui invitaient toujours les mêmes hommes politiques, leur manque d'imagination, leur frilosité à révéler des visages inconnus. À présent en charge moi-même d'une émission, qui y fais-je défiler ? Bruno Masure et PPDA, Robert Badinter et Jacques Toubon, Guillaume Durand et Jean d'Ormesson, Alain Finkielkraut et Philippe Labro. Tout juste puis-je alléguer que je n'ai jamais invité Jacques Séguéla, ni l'abbé Pierre, ni Paul-Loup Sulitzer. Pour être parfaitement exact, il faut aussi rappeler que nous avons invité à l'émission bien des personnalités pour qui cette expérience constituait le premier passage à la télévision.

Pourquoi donc cette irrésistible tentation du suivisme ? Tentons de le comprendre en partant de notre propre cas, puisque je ne prétends nullement échapper au reproche.

L'étroitesse de l'échantillon utilisé tient à de bonnes et à de mauvaises raisons. De bonnes : nous recherchons plus volontiers des invités qui, outre la compétence et la légitimité, possèdent une bonne élocution et un charisme susceptible de retenir les téléspectateurs. Toujours cette obsession d'aller vers le public plutôt que de le laisser faire l'effort de venir à nous.

Ce réflexe se révèle finalement inutile en termes d'audience : la variation de nos indices d'écoute tend en effet à démontrer que ce sont les thèmes des émissions, plutôt que les invités, qui « font la différence ». Ainsi avons-nous réalisé d'excellentes écoutes avec des émissions sur le traitement médiatique de la mort de Diana ou l'affaire Monica Lewinski, alors que nos invités n'étaient pas à proprement parler des vedettes.

Autre raison, non négligeable : un certain nombre d'intellectuels de grande qualité perdent leurs moyens à l'oral. C'est injuste, mais c'est ainsi. Plutôt que de les desservir en les invitant, mieux vaut ne pas les inciter à s'extraire du mode d'expression où ils s'épanouissent : l'écriture. Il est vrai que les « bons clients » ne sont pas forcément ceux que l'on pense. « Vous avez des professionnels du plateau, des professionnels de la parole et du plateau, et en face d'eux des amateurs, [...] c'est d'une inégalité extraordinaire », explique Bourdieu (p. 36). Cela pourrait être vrai. Mais cette remarque méconnaît une règle de base de la télévision : elle se plaît en permanence à renverser les hiérarchies, y compris celles qu'elle a elle-même instituées.

Oui, la télévision est une grande lessiveuse à hiérarchies. Je me souviens d'une émission d'« Arrêt sur images », à propos de l'attitude plus ou moins critique des journalistes quant à la préparation de l'équipe de France de football, avant la Coupe du monde. Nous avions décelé une opposition entre le journal

L'Équipe, ardemment critique du sélectionneur Aimé Jacquet, et les journalistes de télévision, beaucoup plus indulgents. Nous avions donc invité un journaliste de *L'Équipe* et deux de ses confrères de la télévision. Avant l'enregistrement, je redoutais beaucoup que le journaliste du quotidien, moins habitué aux plateaux de télévision, et en infériorité numérique, ne fût écrasé par ses confrères. C'est le contraire qui se produisit. Sa verve, sa hargne pleine d'allégresse contre Aimé Jacquet, creva l'écran face à deux confrères embarrassés par ce qui apparaissait comme un signe de connivence avec les pouvoirs institués du football. La suite de l'histoire donna finalement plutôt raison aux journalistes de télévision, mais c'est une autre histoire.

Enfin, un grand nombre de penseurs critiques sur la télévision, que nous inviterions avec profit, ont précisément choisi... de ne jamais venir à la télévision. Depuis la fameuse « affaire Bourdieu », j'ai tenté de réinviter le principal intéressé, qui n'est pas venu. Serge Halimi – qui avait accepté une première invitation avant la publication des *Nouveaux Chiens de garde* – s'est avisé depuis qu'il ne souhaitait plus débattre avec quiconque sur le plateau d'« Arrêt sur images ». « Nous, les adversaires de la pensée unique, accusons un tel retard de temps de parole dans les médias que nous devons pouvoir nous exprimer sans contradiction », me répondit-il invariablement. Ainsi se crée sans doute ce que l'on appelle un « biais » d'échantillon, indépendant de notre volonté. Ainsi en effet, même dans le cas d'« Arrêt sur images », se réduit l'altérité des invités. Ainsi une infernale mécanique nous pousse-t-elle à restreindre notre champ.

Mais l'étroitesse du recrutement tient aussi à de mauvaises raisons : nos propres réseaux de relations, le manque de temps, et parfois la paresse qui nous empêche de lire toutes les revues dans lesquelles nous pourrions dénicher le sociologue de trente ans prometteur, d'aller voir tous les films dont celui qui nous permettrait de trouver le jeune cinéaste ignoré des médias. La paresse, rien d'autre que la paresse, qui, en fin d'année, quand se profilent les vacances, fait l'esprit vagabond, l'exigence émoussée, et guide la main, insensiblement, vers le numéro du même invité déjà venu la saison précédente. La paresse qui pousse les journalistes de TF1, dès qu'ils souhaitent recueillir le point de vue d'un garagiste ou d'une boulangère, à aller interroger… le garagiste ou la boulangère de Boulogne, en bas de leur bureau. La paresse qui pousse les critiques de cinéma ou de théâtre à traiter en priorité les pièces ou les films de leurs réalisateurs favoris, sans avoir l'appétit de la découverte. Pour remédier à cela, il n'y a d'autre solution que la lutte quotidienne contre l'endormissement.

L'Encornet, Trottinette
et la rumeur

Ce fut comme un feu de pinède. À l'automne 1997, une honorable maison d'édition parisienne, Flammarion, publia un livre dans lequel deux journalistes d'investigation, sans l'ombre d'une preuve, relayaient une terrible accusation : deux anciens ministres français, désignés par des pseudonymes transparents, auraient commandité l'assassinat de la députée du Var Yann Piat. *L'affaire Yann Piat : des assassins au cœur du pouvoir* était signée par André Rougeot et Jean-Michel Verne. « Révélations sur un crime d'État » promettait un bandeau rouge entourant le livre.

À l'origine de cette accusation, une source unique, un mystérieux général de la Direction du renseignement militaire, dont les auteurs ne livrent pas non plus le nom. Pas une ligne du livre ne laisse apparaître que les auteurs aient recoupé, ou tenté de recouper, leurs informations auprès des deux anciens ministres concernés. Rien n'indique que les auteurs aient cherché à recueillir les réactions de « l'Encornet » et « Trottinette » – pseudonymes des deux anciens ministres. Rien n'indique que ces derniers aient refusé un rendez-vous qu'on leur aurait demandé.

Face à cet étrange objet, que fait « la presse » ?

Elle pourrait se contenter de hausser les épaules et se taire. Elle pourrait pointer, outre le manquement au devoir d'impartialité, l'absence de toute preuve à l'encontre des deux ministes en question et l'étrangeté du procédé qui consiste à accuser d'avoir commandité un assassinat deux élus désignés par des pesudonymes transparents. Considérer, en un mot, qu'elle se trouve devant un amas de divagations indignes d'intérêt. Attitude logique et de bon sens. Mais voilà. Flammarion est une maison réputée. Les deux auteurs détiennent une carte de presse. Ils sont officiellement journalistes. L'un des deux, André Rougeot, appartient même à la rédaction du *Canard enchaîné*. Et puis, le livre existe. Il est sur la « place publique ». Surtout, les confrères vont en parler. Tout, plutôt que d'être accusé de censure ou de paraître en retrait !

Le premier, quelques jours avant la sortie du livre en librairie, *L'Événement du jeudi* en publie les « bonnes feuilles ». « Incroyables révélations sur l'assassinat de Yann Piat », titre l'hebdomadaire en première page avant de reprendre sur quatre pages les accusations contre « deux ténors de la droite, membres du Parti républicain, qui ont déjà occupé des fonctions ministérielles, [...] jamais nommés mais aisément identifiables par le grand public ». Pas l'ombre d'une réserve dans ces quatre pages, même si, bizarrement, l'hebdomadaire ne paraît pas croire lui-même au sérieux des informations qu'il colporte. Deux anciens ministres commanditant l'assassinat d'une députée : en toute logique, une information aussi énorme devrait occuper la totalité de la une ! Or les « incroyables révélations » n'ont droit qu'à un mince bandeau en haut de la première page, la totalité de la une restant dédiée à un sujet sans doute plus « porteur » : « Vous, votre argent et la gauche ».

Les autres journaux se taisent encore, hésitent, s'observent. Pas une ligne le vendredi matin. C'en est trop pour le responsable de « La Revue de presse » de France-Inter, Nicolas Poincaré, qui s'étonne bruyamment de ce silence. Dans l'après-midi, l'AFP diffuse une longue dépêche expliquant que « deux journalistes développent, dans un livre-enquête basé sur les révélations d'un "général de la Direction du renseignement militaire", la thèse de l'implication de deux ténors de l'opposition dans cette affaire ». Pas une allusion, dans cette dépêche, à l'absence de preuves, pas une once d'étonnement devant le procédé des pseudonymes.

Pendant le week-end, « Le Vrai Journal » de Canal+, le premier à la télévision, interroge les deux co-auteurs en pleine séance de dédicaces dans les locaux de Flammarion. Leur informateur, confirme André Rougeot, est « un officier supérieur de la Direction du renseignement militaire », dont les services « ont mis sur écoutes cent cinquante personnes de la région ». « Qui sont l'Encornet et Trottinette ? demande-t-on. – Ils se reconnaîtront », explique Jean-Michel Verne. Après ces fracassantes confirmations, l'animateur du « Vrai Journal », Karl Zéro, s'étonne : « Aujourd'hui en France, des hommes politiques connus peuvent commanditer la mort d'une députée ? – Ce n'est pas tout à fait la France, c'est le Var », rétorque l'« enquêteur » maison, Paul Moreira. Et de développer : « Il y a la commission d'Aubert, la fameuse commission parlementaire anti-maffia, qui avait clairement établi que dans cette zone, il y a en ce moment l'émergence de ce qu'on appelle un comité d'affaires qui réunit des hommes politiques, des maffieux, des entrepreneurs, en allant vers le contrôle d'un certain nombre d'activités dans ce coin-là. » Tout cela n'étonne personne et on passe au sujet suivant. Rien, dans « Le Vrai Journal », n'indique que les enquêteurs de la télévision aient sollicité de leur côté l'avis des accusés implicites. Comme si le « journalisme à source unique » était contagieux. Les journalistes de *L'Événement du jeudi* qui publie des extraits du livre, l'auteur de « La Revue de presse » de France-Inter, les « enquêteurs » du « Vrai Journal » : tous ont la certitude de faire leur métier de manière irréprochable, comme Rougeot et Verne peut-être. Tous pratiquent, comme les coauteurs du livre, le journalisme à source unique.

Le même dimanche soir, à propos d'une autre affaire, Jean-Michel Verne est interrogé au « 20 heures » de France 2 comme « spécialiste des affaires de la région Provence-Alpes-Côte d'Azur ». À côté de lui, négligemment posé sur sa table de travail, le fameux livre, qui est ainsi montré au journal télévisé. Et le « spécialiste » laisse tomber son oracle : « Dans le sud de la France, les choses ne se passent pas comme dans le reste du territoire. Il y a des enjeux d'argent, de pouvoir, le tout relayé par l'appareil politique, qui font qu'on peut se poser beaucoup de questions quand on voit un suicide. » « Les morts, ajoute-t-il, c'est le symptôme. Derrière, il y a un système. » Et le journaliste de France 2 de poser gravement la question : « Yann Piat avait-elle découvert ce système ? », pendant qu'à l'écran apparaissent François

Léotard et Jean-Claude Gaudin assistant aux obsèques de la députée assassinée.

Désormais, plus rien ne peut arrêter la machine médiatique. Pour « crever l'abcès », l'hebdomadaire *Marianne* publie le lundi matin les noms des deux anciens ministres désignés par les pseudonymes « l'Encornet » et « Trottinette » : François Léotard et Jean-Claude Gaudin. Le même lundi matin, les deux auteurs sont invités en direct à Radio-France. Stéphane Paoli, intervieweur du matin de la radio nationale, leur ouvre son micro avec des cris d'effarement. Comment donc ? De telles choses seraient possibles aujourd'hui ? Désormais, les deux anciens ministres mis en cause ne peuvent plus se taire. Le mardi, François Bayrou, président du groupe UDF à l'Assemblée nationale, confirme dans une question au Premier ministre que les ministres mis en cause sont bien Léotard et Gaudin, qui s'en vont tous les deux le soir même sur les plateaux des journaux télévisés pour protester de leur innocence et lancer la contre-attaque.

Ils portent plainte. Et *L'Événement du jeudi*, en deuxième semaine, réitère un ton au-dessous. « Opération d'intox ou affaire d'État ? » titre l'hebdomadaire, qui continue de soutenir Rougeot et Verne, « dont le sérieux dans le passé, écrit Jean-Michel Caradec'h, n'a pu être mis en doute », et qui, « en décortiquant les procès-verbaux d'instruction et en interrogeant les témoins, apportent la preuve de leurs allégations ». Il faudra attendre la troisième semaine pour que *L'Événement*, le vent ayant tourné, se demande gravement « qui manipule les journalistes », comme s'il s'agissait d'une question théorique, d'un vaste débat métaphysique dont le journal lui-même ne serait nullement partie prenante. En troisième semaine donc, Jean-Michel Caradec'h s'effare « des lacunes, des imprécisions, et même des détails techniques invraisemblables » dont fourmille le livre. Et le journal de se consoler par une rétrospective de toutes les « manipulations », de l'affaire Markovitch aux « fausses révélations » sur Henri Curiel, en rappelant que « les journaux – et les journalistes – les plus sérieux se font piéger ».

Entre-temps, tous les limiers de la presse parisienne se sont lancés sur la piste du fameux « général ». Et deux semaines plus tard, la présentatrice du « 20 heures » de France 2 annonce qu'une équipe de la chaîne « a retrouvé un des hommes qui ont informé les auteurs du livre sur l'affaire Yann Piat ». Il s'appelle Jacques Jojon. En duplex du Var, et en direct, un des « poids lourds » de France 2, Marcel Trillat. L'heure est grave : « L'homme que nous venons de rencontrer il y a quelques minutes nie être le général mais reconnaît avoir eu de longues conversations avec André Rougeot, que celui-ci aurait enregistrées à son insu. » Suit l'enregistrement d'une interview avec ce mystérieux personnage, qui nous apprend que les noms de code « l'Encornet » et « Trottinette » sortent de l'imagination de... Rougeot lui-même. On n'en apprend pas davantage, mais on frémit : le « général » est bel et bien retrouvé ! Et la présentatrice Béatrice Schönberg de poser la question : « Quelle crédibilité peut-on porter à ses propos ? » S'agissant d'un témoin à qui France 2 vient de donner plusieurs minutes d'antenne, en déplaçant les moyens (considérables) d'un duplex, la question s'impose en effet. La réponse de Trillat est des plus éclairantes : « Je crois qu'il faut être très prudent ce soir, bien sûr. Cet homme se défend d'être un agent secret de telle manière qu'on n'est pas obligé de le croire, mais ce qui est certain, c'est qu'il ressemble beaucoup au personnage décrit par André Rougeot et Jean-Michel Verne dans leur livre. La maison, les chiens, l'environnement, sa famille aussi : la femme du général ressemble beaucoup à l'épouse de Jacques Jojon. » On a bien avancé. Et Trillat de conclure : « Surtout quand on le lance sur les sujets traités dans le livre, on constate qu'il démarre au quart de tour en tenant des propos très proches de ceux du livre, mais on n'est pas obligé de le croire ni dans un cas ni dans l'autre. » Les téléspectateurs qui ont compris sont priés de lever la main. Parole est ensuite donnée à l'envoyée spéciale de la chaîne au Palais de justice de Paris où Rougeot, contraint d'en dire davantage sur son informateur, vient d'apporter selon elle une information capitale : « Rougeot a confirmé qu'il serait bien sorti à dix-huit ans de Saint-Cyr et de Polytechnique, un parcours qui a étonné plus d'un observateur. »

Le lendemain soir, dans le deuxième épisode du feuilleton Jojon sur France 2, Marcel Trillat prend ses distances avec son personnage. On apprend pêle-mêle que Jojon porte des charentaises, qu'il dément faire partie de la Direction du renseignement militaire, qu'il n'a jamais dépassé le grade de deuxième classe, et qu'il prend de la morphine tous les jours. En revanche, il a des « amis », que Rougeot a rencontrés aussi. Retraités de la gendarmerie, militaires, et « poulets » : tous en savent long sur l'affaire Yann Piat. Et Trillat d'en tirer les conclusions qui s'imposent : « On voit mal comment, en l'état actuel des choses, on pourrait accorder le moindre crédit aux thèses soutenues par Jean-Michel Verne et André Rougeot. »

Deux soirs plus tard encore, le portrait se complète. Jojon, quelques années plus tôt, a été condamné à deux ans de prison dont six mois fermes pour escroquerie. Et vingt ans plus tôt encore, comme l'attestent de vieilles images de l'INA, il se promettait de découvrir en quelques mois le moteur à eau. Il faut encore attendre plusieurs jours pour que, sur le plateau d'« Envoyé spécial », Marcel Trillat brosse le portrait définitif de Jojon et de ses amis, qui, plusieurs jours durant, ont fait vaciller l'État sur ses bases : « Une bande de papys qui se réunissent pour parler des problèmes de chemins vicinaux, et pourrir la vie des élus du coin. »

Affichant les meilleures intentions du monde, les journaux « sérieux », rédigés par de vrais journalistes, et dans lesquels les lecteurs et téléspectateurs cherchent des informations, ont donc contribué à propager un bobard sans fondement, oubliant la règle première selon laquelle faire écho à une rumeur, même si c'est pour la dénoncer, contribue toujours à l'accréditer.

Bien sûr, les mêmes organes de presse, dans les jours et les semaines suivants, se sont rattrapés, passant de la célébration à l'accablement de Rougeot et Verne avec une frénésie sans doute décuplée par la fureur rétrospective d'avoir été bernés. Mais dans les premières heures, personne, ni le journaliste du « Vrai Journal » de Canal+, ni ceux des vrais « 20 heures », n'a simplement songé à poser aux deux auteurs la question toute simple : « Avez-vous cherché à recueillir la version des deux anciens ministres que vous mettez en cause ? Et sinon, pourquoi ? » Au lieu de cela, chacun, dans le meilleur des cas, s'est contenté de poser gravement la question générale : « Peut-on accuser sans preuves ? » Comme si la réponse n'était pas dans la question.

Cet épisode, l'un des plus révélateurs de la gangrène qui gagne le journalisme français, est d'abord le produit d'un terreau : la multiplication, depuis quelques années, des lieux hybrides qui tiennent à la fois du journalisme et du divertissement. Journalisme et divertissement : le théâtre principal de cette collusion est évidemment le « 20 heures », à la fois *reality-show*, film d'action et *sit-com*, que nous suivons chaque soir pour nous repaître du feuilleton des petites phrases, de la vilenie des soldatesques, du malheur des réfugiés, de la souffrance des enfants, de la beauté d'âme des héros humanitaires, de la longanimité de son présentateur.

Mais le « 20 heures », modèle dominant et vieillissant de l'information-spectacle, a sécrété un peu partout des contre « 20 heures » qui entremêlent pareillement journalisme et divertissement.

Le scandale, l'arnaque ne peuvent plus être révélés que sous les applaudissements du public. Que sont les émissions de Jean-Luc Delarue sur France 2, ou de Julien Courbet sur TF1 ? Qu'est-ce que « Le Vrai Journal » de Karl Zéro sur Canal+ ? Du journalisme, certes, puisque l'on y traite les mêmes sujets qu'au « 20 heures » ou dans la presse écrite. Mais un mélange de journalisme et « d'autre chose ». Dire « tout ce que l'on sait », « ne rien cacher » : telles sont les déclarations d'intention sur lesquelles Karl Zéro a fondé « Le Vrai Journal », reprochant aux « 20 heures » de cacher à leurs téléspectateurs les informations les plus dérangeantes, choisissant délibérément les sujets à scandale, entremêlant ses enquêtes de sketches et d'applaudissements. Mais quelle est l'entorse la plus grave à l'exactitude de l'information ? Avoir relayé sans distance les calomnies gravissimes de Rougeot et Verne, ou bien, comme l'emblème du « 20 heures », PPDA, ne cesse depuis dix ans d'en porter le poids d'infamie, avoir fait faussement croire, par un artifice de montage, que l'on avait personnellement interrogé un chef d'État étranger ? Je ne tranche pas. Je regrette seulement que personne, parmi les lyncheurs patentés des médias, ne semble se poser la question. Dix fois, vingt fois, des confrères français ou étrangers m'ont interrogé sur « l'affaire Castro-PPDA ». Jamais personne ne m'a interrogé sur « l'affaire l'Encornet-Trottinette ». La « vraie-fausse interview de Fidel Castro par PPDA » reste depuis dix ans l'illustration canonique des forfaits des journalistes, comme si d'autres reportages, chaque jour, chaque semaine, ne trahissaient pas plus gravement la réalité.

Or l'accueil attentif rencontré par ce mauvais canular dans de nombreux médias, l'absence de la réfutation immédiate que ses manifestes approximations auraient dû susciter sont aussi le terrible fruit de la culpabilisation bourdieusienne des journalistes. Comme si, face au soupçon universel qui pèse sur la parole politique, le journalisme tremblait sur ses propres bases, doutait de la nécessité du recoupement et du contradictoire, était tout disposé à jeter aux orties son fondement même : la vérification. Tétanisée par le possible reproche de censure, la presse se sent obligée de faire écho à la première élucubration venue, pour peu qu'elle accuse deux hommes politiques en activité. Le livre « pose des questions », se défendent les journalistes, en oubliant que le rôle des investigateurs consiste habituellement non point à poser des questions, mais à y répondre.

Significativement, le livre de Rougeot et Verne a d'abord été mentionné chez Karl Zéro avant de se frayer un chemin au « 20 heures » de France 2. Comme si une partie des journalistes de France 2, ébranlés par le reproche adressé aux journalistes des médias dominants d'être « de faux journalistes », de ne pas dire « tout ce qu'ils savent », avaient peu à peu intégré l'idée que les journalistes de Karl Zéro sont plus journalistes qu'eux.

Moins en vue que Karl Zéro, mais tout aussi significatif, est l'itinéraire du journaliste Denis Robert, qui fut à *Libération* un des meilleurs spécialistes des « affaires » politico-financières, et contribua notamment à faire « tomber » Gérard Longuet. Ayant quitté *Libération*, Denis Robert a fait de ces « affaires » la matière première d'une œuvre multimédia, livres et films, où elle se trouve mêlée à une méditation personnelle permanente, et épisodiquement au récit des déboires conjugaux de l'auteur. Livres et films de Denis Robert sont toujours reçus avec ferveur par l'hebdomadaire *Les Inrockuptibles*, autre lieu hybride, qui tient du journalisme et d'« autre chose ».

Ainsi, à propos du dernier livre de Denis Robert, *Tout va bien puisque nous sommes toujours en vie*[1], les « Inrocks » titrent-ils en couverture sur « le regard perçant du contre-journalisme ». Et les « journalistes » des « Inrocks » ont en l'occurrence trouvé l'ennemi de la manifestation de la vérité : la vérification des informations. « En s'affranchissant des règles habituelles du journalisme d'investigation, écrit Sylvain Bour-

_____
1. Paris, Stock, 1998.

meau, en négligeant cette technique particulière de la preuve que constitue le recoupage des informations, Denis Robert déplace le regard pour mieux embrasser la réalité des "affaires". » Il suffisait d'y penser ! Pour « embrasser la réalité des affaires », rien de plus simple : il suffit de négliger « cette technique particulière de la preuve » que constitue « le recoupage des informations ».

Il faut s'arrêter sur cette phrase, qui témoigne d'une contamination des cerveaux plus grave qu'on ne croit. Karl Zéro, Les « Inrocks », Denis Robert, toutes ces tentatives de « contre-journalisme » se fondent sur un présupposé commun : du fait des relations de connivence liant les journalistes à l'univers politique, et aussi parce que la plupart des médias appartiennent désormais à de grands groupes industriels, ces médias sont présumés impuissants à rendre compte de la corruption du monde. Il faut donc désespérer, non seulement de ces médias eux-mêmes mais aussi des techniques traditionnelles du journalisme qui y sont appliquées.

Et d'un même mouvement, voici que l'on rejette l'une des traductions audiovisuelles de cette obligation de contre-enquête : le débat contradictoire, radiodiffusé ou télévisé. Là encore, Bourdieu fournit à ce rejet un soubassement théorique plus ou moins explicite. En jouant théâtralement les grands absents des plateaux, en se refusant à toute apparition publique contradictoire, Bourdieu, même s'il ne l'a jamais véritablement théorisé, œuvre à la disqualification du contradictoire lui-même. Chaque page, presque chaque ligne de ses écrits sur la télévision laisse percer une détestation obsessionnelle du contradictoire. Revenant, une fois encore, sur la fameuse « Marche du siècle » consacrée aux grèves de 1995, il se livre à un décryptage des arrière-pensées de Jean-Marie Cavada expliquant que « la composition du plateau [...] doit donner l'image d'un équilibre démocratique[1] ». Mais ce dispositif est-il condamnable en soi, ou bien seule cette émission était-elle mal conçue ? Ne souhaitant sans doute pas paraître pourfendre l'exercice même du pluralisme, Bourdieu se garde bien de trancher. Le lecteur conservera néanmoins l'impression que tout débat est, par nature, biaisé.

Rien d'étonnant si, quelques années plus tard, Serge Halimi fasse écho à cette méfiance sur une page entière du *Monde diplomatique*[2]. Constatant que de nombreux débats médiatiques opposent des « débatteurs » souvent d'accord entre eux, que le renouvellement n'est guère de mise dans le cheptel, et affirmant que les sujets les plus débattus – « la pédophilie, l'éthique, la violence urbaine, la panne de sens », énumère-t-il – sont parfaitement secondaires, Halimi laisse percer, sans jamais l'exprimer plus franchement que Bourdieu, une défiance générale à l'égard du débat lui-même. « Quand il y a débat, c'est souvent pour permettre aux protagonistes de théâtraliser des divergences accessoires. »

Dans la vulgate bourdieusienne, l'allergie à toute contradiction portée à la parole du maître s'est donc progressivement muée en tentative de théorisation du rejet du débat dans son principe. Les médias multiplient les débats futiles, de diversion : tout débat est

---

1. Pierre Bourdieu, *Sur la télévision, op. cit.*, p. 37.
2. Serge Halimi, « Ces débats médiatiquement corrects », *Le Monde diplomatique*, mars 1999.

donc futile par essence. Rejetant le journalisme d'argent et le journalisme-spectacle, le « contre-journalisme » jette aux orties dans le même mouvement l'essence du journalisme lui-même, à savoir la vérification de ses informations auprès de plusieurs sources indépendantes les unes des autres.

Et là, les choses se gâtent. S'affranchir de toute obligation de vérification, c'est contribuer à la dissolution du journalisme dans son ensemble, à l'affaissement de ses défenses immunitaires. S'interdire par avance tout débat télévisé, c'est se priver d'un instrument susceptible de favoriser le surgissement des vérités. Non, la contre-enquête, le contradictoire ne sont pas des « vieilles lunes » à jeter aux orties. Oui, ils doivent rester la règle de base du métier de journaliste.

Sans un certain « air du temps », directement issu du pilonnage boudieusien martelant que la vérification, le contradictoire, le pluralisme, après tout, ne sont que les cache-sexe de la « pensée unique », que les faits sont secondaires et doivent s'effacer devant leur interprétation, sans la monstrueuse convergence de Bourdieu et de « X Files », l'« affaire l'Encornet et Trottinette » n'eût simplement pas été possible, et la folle rumeur du Sud n'eût pas trouvé à Paris d'aussi puissants amplificateurs.

Car ce feu de pinède ravageur fut aussi une nouvelle démonstration de la puissance de la rumeur, propagée par le mistral du Sud, et qui avait réussi à s'emparer de la capitale.

La rumeur, je l'ai souvent croisée. Tout journaliste la croise chaque matin. C'est une collègue de bureau. Mais c'est à Marseille, plusieurs années avant cet automne 1997, qu'il m'a été donné d'affronter cette fausse amie des journalistes. C'est à Marseille que je l'ai rencontrée dans toute sa gloire, qu'elle m'a dévoilé son visage et son pouvoir.

Un directeur de clinique vient d'être assassiné. Un de ses confrères et rival, Jean Chouraqui, a été interpellé par la police, inculpé de ce meurtre par le juge d'instruction, et écroué. On m'envoie suivre l'affaire. Toute la presse est persuadée de la culpabilité de Chouraqui. Les policiers sont péremptoires. La juge d'instruction est catégorique. Le faisceau de présomptions qui pèse sur Chouraqui est accablant. La presse l'exécute jour après jour.

Comme tous les journalistes traitant d'une « affaire », j'accède au dossier. Comment accède-t-on à un dossier judiciaire ? Rien n'est plus simple. Dans toutes les affaires judiciaires, il est toujours, au minimum, une partie qui a intérêt à s'allier avec la presse. On découvre très vite laquelle. Après, c'est la routine. On vous appelle. On vous propose en exclusivité le dernier procès-verbal d'audition, alors même parfois que le parquet n'en a pas encore reçu copie. Il n'est qu'à le recopier, à y ajouter quelques adjectifs, à solliciter, dans le meilleur des cas, la réaction de la partie adverse. Cela s'appelle un scoop. Les radios et les télés reprennent. Tout le monde est content.

Donc, « on » m'installe dans une pièce, en me confiant tout le dossier d'instruction. C'est gros, un dossier d'instruction. C'est plein de procès-verbaux de police apparemment de pure forme – nous nous sommes rendus à 13 h 45 chez le dénommé Untel, nous nous sommes fait remettre le contenu du coffre-fort, etc. Il faut survoler l'ensemble tout en restant attentif au détail, qui peut se révéler décisif. En une après-midi, j'épluche ce gros dossier : il est vide de toute preuve contre Chouraqui. Autrement dit, à la source du déchaînement médiatique : rien. Chouraqui est certes brutal en affaires, volontiers cynique, il est probable qu'il a parfois frôlé les limites de la légalité commerciale, les écoutes téléphoniques montrent un brasseur d'affaires parfois grossier et maniant, à la méridionale, le sous-entendu, mais rien, rien, rien ne permet de l'impliquer, de près ou de loin, dans le meurtre de Léonce Mout. Et pourtant, chaque jour, des fuites, des éditoriaux et la folle rumeur de la Canebière se renvoient en écho la certitude de sa culpabilité. Comment est-ce possible ? Tous mes confrères disposent-ils d'éléments qui m'auraient échappé ? Je lis et relis les procès-verbaux : toujours rien. Ils semblent pourtant tellement sûrs d'eux !

Dès lors, chaque jour, mobilisant toute la puissance du *Monde*, je vais tenter de m'arc-bouter contre la rumeur et répéter inlassablement que le dossier est vide. Je me souviens encore de ce poids qui m'accablait sur la Canebière. J'appris alors que la rumeur, qui sort de mille bouches, qui reparaît ici quand vous croyez l'avoir terrassée là, peut épaissir comme une sauce, et durcir comme un caramel. Sa force ? Elle est polymorphe. Elle a tous les visages : celui de l'hôtelier qui vous donne votre clé, celui des confrères les plus proches, des présentateurs les plus neutres, des éditorialistes les plus prestigieux. Surtout, elle a tous ces visages en même temps. Tous les visages, toutes les voix qui vous entourent ne sont que des porte-voix de la rumeur. Porte-voix éphémères : demain, elle les aura désertés, ils s'en seront délivrés comme d'un sortilège. Mais là, à l'instant présent, elle devient palpable, évidente, et c'est vous qui semblez diaphane, immatériel, fragile, incertain.

La rumeur peut colporter un mensonge. Elle peut aussi tenter de faire passer pour important ce qui ne l'est pas. Comment ne consacrerais-je pas une chronique, une émission, un article, la une de mon journal à la sortie de tel livre, de tel film, à tel scandale du jour, puisque toute la presse me répète que rien n'est plus important ? Il faut résister à ces deux fruits empoisonnés de la rumeur. Il faut résister aux nouvelles faussement importantes comme aux fausses nouvelles.

Chouraqui était coupable, répétait la rumeur. Et si les preuves étaient si longues à rassembler, c'est que ce meurtre n'était que la face émergée d'un gigantesque trafic de narco-dollars qui impliquait des « huiles » de Marseille et des dictateurs sud-américains ! D'ailleurs, le maire de Marseille lui-même, qui voyageait souvent en Amérique du Sud, n'en revenait-il pas régulièrement avec des mallettes pleines de narco-dollars ? Au coin des rues de Marseille, dans les restaurants de la ville, chacun prenait des airs entendus. Une « affaire énorme » allait sortir. Pour l'instant, la vérité était bloquée, de « gros intérêts » étant en jeu, mais, justement, on allait voir ce qu'on allait voir. Doutant de cette vérité, on me considérait avec suspicion : quels « gros intérêts » se cachaient derrière moi ?

Journalistes, magistrats, politiciens, policiers, bien des gens de bonne foi ont contribué à propager la rumeur. Enfin l'Affaire, la Grande Tornade, qui allait redistribuer toutes les cartes, les délivrer d'un quotidien médiocre, des procédures routinières, de la servitude des chiens écrasés, qui allait leur apporter sur un plateau d'argent les gros titres de une et de royales promotions ! En tout journaliste, découvris-je, sommeille une midinette qui rêve comme du prince charmant de l'Affaire de sa vie qui l'emportera sur son blanc destrier en brisant la grande conspiration du silence.

Ce mythe de la conspiration du silence n'est pas typiquement français. Il n'est qu'à voir le succès des révélations périodiques sur l'assassinat de Kennedy ou la mort de Marilyn pour y discerner une croyance universelle dans les sociétés développées. Et ni les institutions démocratiques, ni les systèmes d'information les plus sophistiqués ne sont de nature à chasser des imaginaires ces spectres du Mal.

Chouraqui a été finalement acquitté aux assises, son innocence reconnue. Il n'en reste pas moins aujourd'hui l'un des vivants symboles de l'erreur judiciaire. Et je m'efforce chaque jour de bien me souvenir de cette leçon : on peut avoir raison seul contre tous. L'unanimité des confrères journalistes, des policiers ou des magistrats, individuellement sensés et raisonnables, n'est pas un motif suffisant de reddition. Y résister requiert une vigilance de chaque instant.

Pas vu, pas pris et la connivence

« Pourquoi n'avez-vous jamais parlé du film de Pierre Carles à "Arrêt sur images" ? »

Je participe à un énième débat sur les médias dans une salle polyvalente de la grande banlieue de Paris. Et soudain, un jeune homme se lève dans le public et, se présentant comme « journaliste indépendant », m'interpelle sévèrement. En une seconde, je réalise qu'un acolyte du « journaliste indépendant » filme le débat depuis le début de la soirée. Ça y est. Je suis piégé par le fameux Pierre Carles.

Pour ceux qui auraient manqué les premiers épisodes, il faut ici résumer l'affaire Pierre Carles. En 1994, attendant le journal télévisé où il interviendra en duplex à l'occasion de l'anniversaire du débarquement allié en Provence, le ministre de la Défense François Léotard devise tranquillement avec le directeur général de TF1, Étienne Mougeotte. Ils évoquent la situation politique de la région, et Mougeotte tente mollement de faire, auprès du ministre, du lobbying en faveur de TF1, insistant sur le danger qu'il y aurait à autoriser des coupures publicitaires supplémentaires sur France 2, chaîne concurrente. Léotard se plaint de ne pas pouvoir capter LCI chez lui. Mougeotte lui conseille d'en référer à son installateur. Surtout, les deux hommes se tutoient : ils se connaissent depuis le temps de leurs études ou presque. Ils ne savent pas que leur conversation est filmée et enregistrée, par les mêmes moyens techniques qui devront servir, un peu plus tard, à établir le duplex de François Léotard avec le journal de TF1.

L'enregistrement de cette conversation se trouve bientôt publié dans deux magazines, *Le Canard enchaîné* et *Entrevue*. Il se retrouve aussi entre les mains d'un réalisateur de télévision indépendant, Pierre Carles. Au même moment, en vue de « La Nuit annuelle de la télévision », Canal+ commande audit Pierre Carles comme à d'autres un petit film sur « la télévision, le pouvoir et la morale ». L'occasion est trop belle : sous couvert d'une enquête sur ce thème, Pierre Carles fait le tour des journalistes les plus en vue de la télévision française, les interroge sur leur degré de liberté – totale, bien entendu, cher ami, comment pouvez-vous en douter ? – et, par surprise, ouvrant une mallette qui dissimule un petit écran vidéo, leur montre la fameuse conversation en leur demandant s'ils seraient libres de diffuser dans leur émission un document si compromettant sur les relations incestueuses de la presse et du pouvoir. De toute la gamme des réactions, depuis l'acquiescement hypocrite jusqu'à la protestation offusquée en passant par le coup de sang indigné – « Comment, vous osez mettre en cause ma proverbiale indépendance ? » –, Carles va faire la matière d'un petit film jubilatoire d'où se dégage l'impression que la télévision française est en butte à une autocensure molle et sournoise.

Le film est refusé par Canal+, décision dont les dirigeants de la chaîne doivent encore se mordre les doigts aujourd'hui. Cette censure dope en effet notre corsaire, qui enregistre à l'insu de ses interlocuteurs tout le processus d'échanges téléphoniques qui aboutit au refus de son film par les sous-hiérarques de Canal+, et sculpte derechef une seconde version, dans laquelle il prend la pose du réalisateur censuré.

Je n'ai vu personnellement le film *Pas vu, pas pris* qu'à l'occasion de sa sortie dans une salle du Quartier latin, à l'automne 1998. Qu'y voit-on ? Le visage des péremptoires de la télé, ceux qui nous promettent de nous emmener dans la « zone interdite », que va sonner l'« heure de vérité » des ministres, que nous avons « le droit de savoir », soudain déstabilisés, pris en flagrant délit de...

De quoi, au juste ? Ici, les difficultés commencent. D'embarras certes. Les images de cet embarras pullulent. Charles Villeneuve (TF1) interrompt sans appel l'enregistrement. Alain Duhamel (France 2) esquive les questions. François-Henri de Virieu (France 2) froisse nerveusement un papier, et le jette à la poubelle. Anne Sinclair commet le lapsus qui tue : « La relation privée d'un homme politique avec un patron d'entreprise, fût-elle une entreprise de médias, fait partie de la vie publique. Euh... de la vie privée. » Patrick de Carolis (M6) commence une longue explication et se noie brutalement dans un interminable silence, que le montage de Pierre Carles interrompt cruellement, nous laissant l'impression d'un homme en perdition. Car le téléfilm utilise sans vergogne toutes les recettes de la télévision, à commencer par le montage. À la suite de quelle question précisément, de quel enchaînement, Charles Villeneuve s'énervet-il ? À quel moment précis de la conversation François-Henri de Virieu froisse-t-il son papier – image que Pierre Carles réutilise plusieurs fois ? Qu'allait dire Carolis avant d'être coupé au montage ? Nous ne le saurons jamais, Pierre Carles, pas plus que tout autre réalisateur de télévision, n'acceptant de montrer ses « rushes ».

Reste que de l'ensemble du film se dégage une « impression » de grand embarras. Impression certes surexploitée, renforcée par le montage, mais à la base de laquelle doit se trouver un indéniable embarras « réel ». Que nous dit-il au juste, cet embarras ? Que ces hommes-là détestent cet instant-là, redoutent de se retrouver dans cette situation-là. La part faite du procédé de Pierre Carles, de la manière dont il joue de la surprise pour activer immédiatement en eux la culpabilité de ne pas avoir diffusé la bande fatidique, il apparaît clairement que la conversation entre Mougeotte et Léotard dérange indéniablement ces hommes de télévision. Objectivement pourtant, les deux hommes ne se disent rien de compromettant. Pas de pacte inavouable. Pas de secrets d'État. Quand, en 1998, *Libération* publie le script de cette conversation, le socle de ce qui était en train de devenir un film-culte, ce n'est qu'un cri chez les lecteurs : quoi, il ne s'agissait que de cela ? L'essentiel est ailleurs que dans le script : à l'image. Et cette image n'est pas celle de la corruption ni de la compromission, mais celle de la connivence. Sourires, grimaces concourent à cette impression. Mais l'élément roi, le plus probant indice de la connivence entre le ministre et le dirigeant de TF1 est le tutoiement. – « Tu es sur Télécom 2B ? – Je sais pas lequel, je sais plus lequel.

– À mon avis, tu es sur Télécom 2B, tu devrais l'avoir. » Etc.

Ce tutoiement est le plus anodin secret, et le mieux partagé, des hommes de télévision. Tout animateur d'une émission s'est rendu, ou se rend coupable de ce petit délit : dissimulation de tutoiement. Quand les animateurs d'« Envoyé spécial » reçoivent sur le plateau les auteurs de leurs reportages, ils se vouvoient alors qu'ils se tutoient dans la vie. Quand feu François-Henri de Virieu ou Anne Sinclair recevaient des hommes politiques, ils faisaient mine de les vouvoyer, bien que les tutoyant dans la vie. Quant à « Arrêt sur images » je dialogue avec mes compères chroniqueurs de télévision, nous affectons de nous vouvoyer alors que nous nous tutoyons sitôt les projecteurs éteints. Les raisons de cette tricherie minuscule sont simples : le tutoiement serait terriblement excluant pour les téléspectateurs. Que l'on imagine un débat, une interview dans lesquels les protagonistes se tutoieraient : après deux minutes, les téléspectateurs se demanderaient, légitimement, s'ils ne sont pas de trop. Seul est supportable le tutoiement de Karl Zéro et de ses invités, dont nous savons bien au contraire qu'ils *ne* se tutoient *pas* dans la vie.

Ce tutoiement en lui-même ne devrait pas constituer un délit. Sa dissimulation par les animateurs et les invités des émissions de télévision devrait être facilement explicable, en quelques mots. Mais voilà. L'affaire intervient dans le contexte d'un soupçon vague et général portant sur la connivence du journaliste et de l'homme politique. Appartenant l'un et l'autre à la « classe politico-médiatique », tous deux s'entendraient pour dissimuler au public l'essentiel des informations sur les « affaires » et masquer derrière des papotages secondaires les principaux enjeux politiques, comme le débat sur l'Europe ou la guerre du Golfe. Simultanément portée à l'encontre des journalistes français par l'extrême gauche (de *Charlie Hebdo* au *Monde diplomatique*) et par l'extrême droite, cette accusation fait peser sur l'ensemble des journalistes un motif supplémentaire de culpabilité permanente.

François Léotard se trouve au point de convergence rêvé de toutes ces accusations : homme de droite, balladurien, favorable à Maastricht, en butte à des soucis judiciaires (le fameux « mur » de sa propriété de Fréjus avant l'ouverture de l'enquête sur le financement du Parti républicain), il est la parfaite incarnation de cette « classe politique » et de la « pensée unique ». La même scène, par exemple, enregistrée entre Albert du Roy et Jean-Pierre Chevènement eût sans doute trouvé moins de relais.

Cette impression de connivence est encore renforcée par une autre séquence montrée dans *Pas vu, pas pris*. Alors en charge de « 7 sur 7 », Anne Sinclair rend visite à Laurent Fabius pour préparer avec lui un passage à la télévision. Et l'on entend l'animatrice proposer aimablement à Fabius : « Bon alors si tu veux, moi je te propose de revenir sur les thèmes qui te paraissent les plus importants. Donc tu veux revenir sur la paix, sur la monnaie, euh... » Là encore, l'image est donnée d'une interview « arrangée à l'avance », comme un match de boxe truqué, sans que l'on sache en quoi consistait le reste de l'entretien, sans que l'on nous précise si dans l'émission Fabius fut interrogé précisément sur les thèmes qu'il souhaitait, et seulement sur ceux-là.

La culpabilité des journalistes de l'audiovisuel plonge aussi ses racines dans l'histoire de la télévision française, marquée par la servilité totale vis-à-vis du pouvoir politique. Même si aujourd'hui le rapport maître-esclave s'est largement inversé, même si – et cela était déjà vrai à l'époque de la conversation Mougeotte-Léotard – un dirigeant de chaîne ou un présentateur du « 20 heures » détient bien davantage de pouvoir réel qu'un ministre, même si Mougeotte, treize ans après, est encore en poste alors que Léotard est aux oubliettes, même si l'histoire des années 1980 est celle de la soumission progressive des élus aux sacro-saintes règles de la politique-spectacle, même si aujourd'hui c'est plutôt PPDA qui sonne les ministres que l'inverse, l'image du ministre appuyant sur une sonnette pour convoquer le directeur de la télévision reste vivace, et culpabilisante.

Pour autant, le sous-traitement des affaires par la télévision est une réalité. Les grandes affaires de corruption politico-judiciaire ont bénéficié d'une couverture bien plus systématique dans la presse écrite qu'à la télévision. Il y a plusieurs raisons à cela. Ces affaires sont d'abord difficiles à « illustrer ». Rien de plus aride, de plus pénible à mettre en images, que des fausses factures, des batailles de chiffres, des pots-de-vin, une audition à huis clos par un juge d'instruction. Bien des journalistes de télévision, rongés par les réflexes de la politique-spectacle, présupposent une « lassitude » de leurs téléspectateurs devant une actualité finalement répétitive : M. Untel a été mis en examen, etc. Comme si l'essence même de l'actualité n'était pas la répétition. Comme si la météo, la Bourse se renouvelaient constamment. Pourquoi y a-t-il, ici ou là, une chronique boursière, et guère de chronique des affaires ?

Est-ce à dire que la presse écrite soit naturellement plus encline à la critique du pouvoir que la télévision ? A-t-on tendance à le penser que vient aussitôt à l'esprit un contre-exemple : le procès devant la Cour de justice de la République de trois anciens ministres dans l'affaire du sang contaminé, au cours duquel la solidarité de « l'élite » envers Laurent Fabius s'exprima sans réserve dans la presse écrite, sous la plume d'éminents philosophes ou professeurs de droit constitutionnel, tandis que l'émotion des victimes éclatait davantage à la télévision.

La gêne de l'audiovisuel face aux affaires de financements politiques a d'autres raisons. Sans doute, par réflexe purement civique, bien des journalistes se refusent-ils de bonne foi à contribuer au discrédit qui pèse sur la classe politique en s'appesantissant trop lourdement sur les feuilletons quotidiens des auditions et des mises en examen. Mais sans doute aussi, dans des entreprises publiques dont les dirigeants sont nommés, directement ou indirectement, par l'autorité politique, dans des entreprises privées dépendant largement des commandes publiques, se diffuse de haut en bas une propension à l'indulgence envers les mésaventures judiciaires des responsables politiques.

Et puis, comment ne pas voir une dernière raison, la moins « pure » et la moins avouable de toutes : un journaliste qui, comme Patrick Poivre d'Arvor, a été lui-même condamné, en première instance et en appel, pour complicité de recel d'abus de biens sociaux, à l'issue d'une instruction très médiatisée, ou une entreprise comme TF1, dont les dirigeants sont ou ont été en butte à des procédures judiciaires, seront naturellement moins enclins à médiatiser non seulement leurs propres mésaventures, mais aussi celles qui peuvent frapper d'autres hommes politiques à qui les lie désormais une certaine solidarité d'expérience. Patrick Poivre d'Arvor fut jadis interrogé, puis inculpé par le juge d'instruction lyonnais Courroye. Quand ensuite Alain Carignon, ancien maire de Grenoble, fut lui-même mis en examen et interrogé par le même juge Courroye, croit-on que PPDA, traitant de cette information, pouvait être « neutre » ? Croit-on que le souvenir de la honte, de l'humiliation, de la colère ne vinrent pas colorier la vision de l'événement du jour ? PPDA, comme nous étions allés l'interroger pour « Arrêt sur images », en convenait volontiers, admettant qu'il préférait avoir « les ongles limés » plutôt que les ongles acérés.

Ainsi de mauvaises causes – des rapports incestueux avec le personnel politique, l'implication personnelle d'un journaliste dans une procédure judiciaire – produisent-elles parfois de bons effets : un plus grand respect de la présomption d'innocence par les médias, et de plus grandes précautions, par exemple, à l'égard des « mis en examen ». Les choses sont décidément compliquées.

Le tutoiement Mougeotte-Léotard renvoie en tout cas les journalistes vedettes de la télé à la culpabilité multiforme de leurs propres dissimulations, personnelles ou collectives, récentes ou anciennes, bénignes ou graves. Il arrache le masque des intervieweurs « sans concession », des explorateurs de la « zone interdite », des intrépides du « droit de savoir ». Il les renvoie à leur point aveugle, leur rapport schizophrène à l'autorité politique, avec une efficacité télévisuelle maximale, leur propre outil étant cette fois retourné contre eux.

Mais le montage de Pierre Carles se moque de ces subtilités. Il met au compte d'une « loi du silence » sans nuances cet embarras qui eût nécessité une analyse d'une grande finesse. Foin de ces complexités ! Il ne cherche nullement à les expliquer. Pas plus qu'il ne cherche à savoir si le lobbying de Mougeotte, écouté d'une oreille distraite par Léotard à propos des ressources publicitaires de France 2, a porté ses fruits. C'est que Pierre Carles, excellent disciple de Pierre Bourdieu, se moque des « faits » qui ne servent pas sa démonstration. Comme pour tant d'autres hommes de télévision, les faits ressortissent d'une galaxie étrangère, celle du réel – il est d'ailleurs significatif que son film commence par une confusion, situant le 6 juin l'anniversaire du débarquement en Provence, qui se produisit, on le sait, le 15 août 1944. Seuls lui importent les images qui vont tenter de traduire ces faits et le choc des déclarations contradictoires, fruit d'un montage jubilatoire. Il raisonne comme l'homme de télévision qu'il est.

Le film de Pierre Carles laisse entière la difficulté majeure : comment rendre compte de la connivence entre les journalistes et les hommes politiques ? J'estime plus probante la démarche de Serge Halimi dans *Les Nouveaux Chiens de garde*, consistant à coucher sur le papier, mot pour mot, le texte des questions contournées des journalistes aux hommes politiques, ou bien à se pencher sur le contenu même des émissions. Pour savoir comment PPDA traite les affaires, qu'est-il de plus efficace ? Aller l'interroger, ou bien comparer le temps d'antenne, les formulations, la place consacrées aux affaires dans son journal et dans d'autres journaux comparables ?

« Pourquoi n'avez-vous jamais parlé du film de Pierre Carles à "Arrêt sur images" ? » me demande donc le « journaliste indépendant ».

Je tente de rassembler mes arguments. Parce que nous n'évoquons, en règle générale, que les images déjà diffusées à la télévision et que ce réalisateur a toujours refusé de nous prêter des extraits de son film, non diffusé, ce qui rendait impossible tout débat à son propos. Parce que je n'ai aucune raison de céder aux pressions du « censuré autoproclamé » de la télévision française. Bref, je bredouille une réponse.

Puis, ils sortent. Celui qui a posé la question-piège et celui qui a filmé toute la scène. Ils ne sortent pas ensemble, ce serait trop simple. Le questionneur, une fois sa question posée, sort le premier, en deux temps. D'abord, il va s'asseoir au fond de la salle. Enfin, il s'éclipse par la porte du fond. Le cameraman laisse passer quelques minutes, fait mine de continuer à filmer, comme si la suite du débat l'intéressait, puis rejoint son comparse. Dans quel manuel ont-ils déniché cette technique d'exfiltration ? En tout cas, ils sont au point. L'opération est réussie.

Pas pour moi. Je fulmine d'avoir été traité comme un malfrat. Je n'ai tué personne, je n'ai pas volé un centime, la police ne me recherche pas, je n'ai rien à cacher. Mes arguments sont prêts, ma défense est en ordre de bataille, tous mes actes sont justifiables. Et pourtant, horreur ! Soudain, quand l'envoyé spécial de Pierre Carles m'interpelle, voilà que mon embarras fait écho à celui des victimes du réalisateur, voilà que mon cœur bat la chamade sans doute comme le leur, horreur, je me sens devenu un des leurs, une de ces créatures de petit écran à lourdes dissimulations et cadavres dans le placard, une de ces créatures que définit désormais avant tout la terreur d'être pris en défaut devant la caméra, d'avoir tort !

Pourquoi n'avoir pas parlé du film de Pierre Carles à « Arrêt sur images » ?

Avoir tort ? Je ne demanderais pas mieux que d'avoir tort, et de le confesser publiquement, là, devant cette caméra clandestine de Pierre Carles. Mais il se trouve que j'ai tout de même quelques raisons à faire valoir. Pourquoi n'avoir pas parlé de... ? Parce que je ne suis pas certain que je serais arrivé, dans le feu d'une discussion de plateau, à formuler les réserves que m'inspire ce film aussi précisément que je viens de le faire dans les pages qui précèdent. Parce que tous les sujets ne sont pas télévisables. Parce que je traîne aussi mon lot de petites tricheries, de dissimulations minuscules. Oh, pas grand-chose, monsieur le commissaire ! Non, je ne dîne pas avec les ministres, non, je n'ai jamais déjeuné avec PPDA, ni avec Anne Sinclair, ni avec Michel Field. Mais oui, je tutoie Alain Rémond et Arnaud Viviant dans la vie, oui, il nous arrive de nous parler de nos lectures, de nos vacances, voire de nous recevoir à dîner. Horreur absolue : je tutoie même Claude Sérillon, oui, le présentateur du « 20 heures » ! Oui, j'accepte, quand ils le souhaitent, une conversation téléphonique préalable avec les invités d'« Arrêt sur images », pour les avertir des sujets sur lesquels ils vont être interrogés, et – horreur suprême ! – m'enquérir parfois des sujets sur lesquels eux-mêmes souhaitent insister, parce qu'il ne me paraît pas illégitime que le programme d'une interview soit déterminé ensemble par l'intervieweur et l'interviewé. Sur le plateau d'« Arrêt sur

120

images », je me suis toujours refusé à jouer de l'effet de surprise, prévenant mes invités des thèmes sur lesquels ils seraient interrogés, à un degré de précision qu'ils déterminent eux-mêmes.

Et puis, le procédé consistant à tirer de sa mallette une botte secrète pour déstabiliser son interlocuteur me paraît malhonnête. Plus précisément, il s'apparente à mes yeux au vol : on vole à son interlocuteur une réaction. Je ne crois pas que les journalistes aient le droit de voler quoi que ce soit, et notamment pas ses paroles, à qui que ce soit. Certes, tout intervieweur digne de ce nom cherche à arracher à son interlocuteur ce qu'il souhaite garder pour lui, mais l'exercice n'est légitime que si l'interviewé est entouré d'un minimum d'égards. Chacun a droit à du temps pour mettre ses idées en place. J'ai toujours accepté de faire relire leur texte à ceux de mes interviewés qui le souhaitaient, quitte à renoncer à publier l'interview si, la victime se repentant de ces instants d'abandon, les retouches et les suppressions dénaturaient par trop l'entretien. L'effet de surprise est ludique, jubilatoire pour les spectateurs, qu'il venge de trop de discours bien rodés et du déluge de « com » dans lequel baignent les discours publics. Pour autant, il ne démontre rien. Quelques secondes de réflexion auraient peut-être permis à la victime de l'effraction de rassembler ses arguments et de livrer une défense convaincante. Votre interlocuteur fût-il la pire des crapules, le temps de l'interview, vous êtes obligé de lui accorder la présomption d'innocence. Si vous êtes persuadé qu'il ment, à quoi bon l'interroger ? Ainsi Pierre Carles utilisait-il l'arme de la télévision pour se livrer à la charlatanerie ordinaire de la télé : montrer en prétendant démontrer.

Autant dire que je n'estimais pas que la censure par Canal+ du film commandé à Pierre Carles soit totalement injustifiable. C'était un film journalistiquement malhonnête, de mauvaise foi, qu'une chaîne était en droit de refuser de diffuser. Mais je ne suis pas naïf. Carles aurait-il piégé ainsi, avec le même procédé, des bouchers de Saône-et-Loire ou des notaires des Côtes-d'Armor, alors Canal+ aurait certainement diffusé le film. Son image soigneusement entretenue d'« impertinence », sa patiente politique de sages provocations : tout aurait dû pousser Canal+ à programmer ce film. Pour qu'elle y renonce, il fallait que le tabou enfreint soit de taille. La chaîne, tout simplement, ne souhaitait pas se mettre à dos les personnages les plus puissants de la télévision française, déjà quotidiennement étrillés par les Guignols. Si Canal+, par l'entremise des Guignols, s'autorise à dénoncer sous couvert du rire et des marionnettes la connivence, l'hypocrisie, la lâcheté des potentats de la télé, elle se refuse à la charge frontale contre les mêmes personnages « réels ». Le refus témoignait que la télévision ne supportait pas que l'on attaquât des membres de la corporation dans leur bien le plus précieux, leur image physique, que l'on retournât contre elle-même l'arme dont elle-même usait et abusait.

Quand je reçus quelque temps plus tard le directeur de l'antenne de Canal+, Alain de Greef, à « Arrêt sur images », je n'estimai pas nécessaire de le questionner au sujet de ce film que je n'avais pas encore vu, et les téléspectateurs non plus. Comment interroger à propos d'un film que l'on n'a pas vu ? Qu'aurais-je répondu à telle ou telle objection de l'invité sur un point particulier du film ?

Que n'avais-je pas fait ! Refusant de questionner de Greef, je m'étais, paraît-il, rendu complice de la censure dont était victime Pierre Carles. Ne pas parler de Pierre Carles, y compris dans une émission dont il n'était nullement le sujet, c'était bien entendu censurer Pierre Carles. Dès ce moment, je m'attendis à recevoir la visite de sa brigade de piégeurs. D'autant que Pierre Carles, entre-temps, s'était rapproché de Pierre Bourdieu, jusqu'à devenir son intermédiaire obligé auprès des médias. Quand il me passa par la tête de... réinviter Pierre Bourdieu à « Arrêt sur images », à l'occasion de la publication de *Sur la télévision*, le secrétariat du sociologue me renvoya sur... Pierre Carles, apparemment chargé de négocier pour lui. De ce petit monde on ne se sortirait donc jamais ! Jusqu'à ce jour, dans cette salle polyvalente de la banlieue parisienne...

Quelques semaines plus tard, le feuilleton devait enfin connaître son épilogue. Le film restant interdit de télévision, le producteur de France-Inter Daniel Mermet décida d'en diffuser la bande-son dans son émission « Là-bas si j'y suis ». C'était compter sans l'obstination de Canal+, propriétaire des droits du film, qui s'opposa à la diffusion de ces entretiens maudits. Mermet réunit alors autour de Pierre Carles, pour débattre de cette interdiction, une tablée fort bourdieusienne dans sa conception du pluralisme, puisqu'elle réunissait Serge Halimi et... l'ancien critique médias de *Libération* Pierre Marcelle, dont Halimi venait de tresser l'éloge dans *Les Nouveaux Chiens de garde*. Halimi lui-même n'était pas pour Pierre Carles un inconnu : à l'occasion de la sortie de son livre, Halimi n'avait consenti à apparaître que dans une seule émission de télévision : un reportage

de « Qu'est ce qu'elle dit, Zazie ? », réalisé par...
Pierre Carles. Ainsi Halimi était-il certain qu'il ne s'y
glisserait pas une once de critique. On est tellement
mieux entre soi ! Personne évidemment, autour de la
table de chez Daniel Mermet, pour tenter de justifier
les réserves de Canal+.

L'affaire devenant alors, comme on dit, incontournable, j'invitai Pierre Carles à « Arrêt sur images ».
Mais il posa des conditions que j'estimai inaccep-
tables : un autre que moi devait animer l'émission, et
nous devions diffuser son film dans son intégralité, ce
qui était évidemment impossible dans les cinquante-
deux minutes de l'émission.

Voilà pourquoi, à ce jour, « Arrêt sur images » ne
s'est pas encore arrêté sur Pierre Carles.

Mazarine et les censures

Pas vu, pas pris est un cas de franche censure, claire et nette, à l'ancienne, un cas d'école. Mais ce cas de paléo-censure fut d'autant plus retentissant qu'il est aujourd'hui exceptionnel. Certes, chaque média a ses propres sujets de censure. Le mouvement des Lyonnais contre les tarifs prohibitifs de la bretelle autoroutière TEO n'a jamais été jugé digne d'un reportage au journal de TF1 : Bouygues, propriétaire de TF1, était concessionnaire de cette bretelle. « Capital », émission-phare de l'investigation économique télévisée, n'a jamais consacré d'enquête au scandale de l'eau : la Lyonnaise des eaux est actionnaire de M6. Karl Zéro, l'animateur du « Vrai Journal » de Canal+ qui s'est fait une réputation par l'intransigeance de ses enquêtes, n'est pas libre d'enquêter sur Vivendi (actionnaire majoritaire de Canal+), sur le cinéma ou sur le football, mamelles de la chaîne à péage. Les informations les plus difficiles à publier pour les médias sont celles qui concernent le groupe industriel auquel ils appartiennent. Sans parler du tabou suprême : les médias eux-mêmes. Chaque journal, chaque chaîne de télévision est son propre point aveugle. Et la corporation de la télévision déteste enquêter sur elle-même, comme en témoigne le fait que l'institution du « médiateur » soit encore si peu répandue dans la profession – seuls *Le Monde* et France 2 offrent à leur public des rendez-vous réguliers avec le médiateur.

Mais la censure emprunte aujourd'hui des chemins plus dissimulés. Depuis 1994, une certaine forme de censure « à la française » s'incarne dans un joli visage, celui de Mazarine Pingeot, fille naturelle de l'ancien président Mitterrand. La révélation publique de son existence, alors qu'elle était âgée de vingt ans, fut pour beaucoup de Français un choc. Ainsi donc, tous les journalistes politiques de Paris partageaient le secret, et aucun n'avait jamais révélé à ses lecteurs l'existence de la fille cachée du président ? Voilà bien un exemple de censure, qui serait inimaginable aux États-Unis où la presse est libre !

Examinons les faits.

Je connaissais l'existence de Mazarine avant sa révélation publique.

Peu après la réélection de François Mitterrand en 1988, le journal me commande une enquête sur les remaniements au cabinet du président de la République – arrivées, départs, rumeurs, promotions, dégradations, changements d'affectation des conseillers, etc. Je prends contact avec un confrère accrédité à l'Élysée, qui, dans les cinq premières minutes de notre entretien, me brossant le tableau de la vie quotidienne au « Château », m'explique benoîtement, sans me demander le moins du monde de conserver le secret, que le président, oui, dort tous les soirs dans l'annexe du palais, quai Branly, où réside sa seconde famille : Mazarine Pingeot et sa mère, Anne.

Donc, à partir de cet instant, je sais. J'ai intégré à mon insu la petite troupe des « journalistes-parisiens-qui-savent-et-ne-disent-pas ». Et pas une seconde je ne me pose la question de savoir si je dois l'écrire. Il est pour moi évident que la vie privée du président de la République ne me regarde pas, et ne regarde pas les lecteurs du *Monde*, pas plus que celle de quiconque d'autre. Pis encore : ce n'est pas pour moi un sujet de conversation, et je ne me souviens pas d'une seule conversation privée au cours de laquelle j'aurais tenté de me faire valoir avec « l'information ».

Je ne prendrai que bien plus tard la mesure de l'erreur collective qui fut la nôtre, les journalistes, d'avoir respecté le silence sur ce point. Bien plus tard, quand il deviendra évident que l'existence de Mazarine, et la volonté présidentielle de protéger son secret, fut à l'origine de bien des scandales du second septennat.

Je n'ai donc pas été censuré. Je ne crois même pas m'être autocensuré. Je n'ai jamais été tenté de publier cette information. Pas de naïveté, pourtant. Aurais-je tenté, dans mon article, de mentionner l'information en quelques lignes que ces lignes eûssent sans doute été coupées par la hiérarchie du journal, qui les eût estimées hors sujet. « [...] pour comprendre ce que peut écrire un éditorialiste du *Monde* et ce qu'il ne peut pas écrire, il faut aussi avoir toujours en tête », selon Bourdieu, « la position des organes de presse dont ces gens sont les représentants dans l'espace journalistique et leur position dans ces organes...[1] » « Ces contraintes de position, explique-t-il, seront vécues comme des interdits ou des injonctions éthiques : "c'est incompatible avec la tradition du

---

1. Pierre Bourdieu, *Sur la télévision, op. cit.*, p. 55-56.

Monde", ou "c'est contraire à l'esprit du *Monde*" [...],
etc. Toutes ces expériences qui sont énoncées sous
forme de préceptes éthiques sont la retraduction de la
structure du champ à travers une personne occupant
une certaine position dans cet espace. »

Sans doute m'eût-on objecté « l'esprit du *Monde* »,
et sans doute aurais-je accepté de m'y soumettre.
Ainsi, quand se trouva progressivement révélée l'am-
pleur de l'amoralisme mitterrandien, et quand il
s'avéra, d'affaire Pelat en affaire Grossouvre, que
l'innocente Mazarine, héroïne malgré elle d'un si joli
mensonge, trônait au cœur de toutes les corruptions
du règne, tous ceux qui partageaient le secret se
découvrirent-ils rétrospectivement compromis. Plus
les années passaient, plus la révélation par la presse du
secret eût été légitime. Révéler l'existence de Mazarine en 1992 eût été plus justifié qu'en 1988, et en
1993 davantage qu'en 1992. Mais tous ceux que la
duplicité mitterrandienne avait mouillés dans le secret
ne trouvèrent alors pas le courage de se dédire. L'un
d'entre eux eût-il franchi le pas qu'une réprobation
unanime l'eût assailli : tais-toi ! tu fus complice !
Pourquoi n'as-tu pas parlé hier ? Il est des secrets qui
salissent. Ainsi chacun d'entre nous put-il s'estimer,
dans le secret de son âme, dupé.

Je ne cesse depuis de me demander quelles sont les
Mazarine d'aujourd'hui. Quelles sont les vérités
d'évidence que, pour des raisons multiples, hono-
rables ou non, nous nous interdisons de révéler. Et
que devons-nous faire ? Prenons un exemple. Le nom
de l'actuel président de la République, Jacques
Chirac, a été plusieurs fois prononcé au cours d'ins-
tructions judiciaires concernant des délits commis à la
mairie de Paris, du temps où il était maire. Il était

donc, jusqu'à une décision récente, susceptible d'être à tout le moins entendu dans cette affaire. Sans doute ses réticences à réformer le Conseil supérieur de la magistrature ne s'expliquaient-elles que par cette raison-là. Sans doute son indulgence prolongée envers le président du Conseil constitutionnel Roland Dumas n'était-elle explicable qu'ainsi. Cette analyse a d'ailleurs été régulièrement développée dans plusieurs journaux, dont *Le Monde*. Sans effet. Que peuvent faire de plus les journalistes ? Faut-il, chaque jour, réimprimer à la une : « Le président de la République est susceptible d'être mis en examen » ? Mais ne nous reprochera-t-on pas, un jour, de ne pas l'avoir fait ?

Pour corser l'interrogation, il faut bien reconnaître que nous n'y avons aucun mal. Plus personne, dans les médias d'aujourd'hui, n'est en mesure de pratiquer un acte de censure, au sens traditionnel. Personne n'y songe, d'ailleurs. Tout scandale sera bon pour l'audience, ou pour le tirage. Une mise en examen ? Un procès-verbal où sont révélés un compte en Suisse, un transfert au Lichtenstein, une salle de bains en marbre, l'achat d'une paire de chaussures valant deux fois le salaire minimum, un appartement de trois cents mètres carrés, des statuettes ? À la une ! À la une tout de suite, avant que le concurrent n'en fasse lui-même sa une ! Des puissants menacés par un scandale ? Un chantage ? Des menaces de révélations ? Imprimez-moi tout de suite des affichettes dans les rues de Paris !

Depuis quelques années, le système a inventé la plus prodigieuse machine à effacer les scandales de l'ère moderne : elle s'appelle Canal+. Des Guignols à « Nulle Part ailleurs », en passant par « Le Vrai Journal » de Karl Zéro, Canal+ censure chaque jour, chaque semaine, à ciel ouvert, sous les rires et les applaudissements. La chaîne cryptée ne censure pas par le silence. Elle censure par la pratique jubilatoire du confusionnisme, en nivelant le grave et l'anodin, l'image tournée et l'image truquée, en installant à la même table la journaliste et la présentatrice météo, en faisant applaudir par un public de collégiens les colères comme les chansons, en dissolvant les larmes dans le ricanement, en faisant se tutoyer le journaliste et le ministre.

Au lendemain de la démission de la Commission européenne, l'ancienne Première ministre Édith Cresson est invitée par Karl Zéro. « Édith Cresson, malgré tes supposées exactions, je n'ai pas renoncé à te tutoyer », commence l'animateur. Cresson : « C'est gentil. » Zéro : « Souris-moi. » L'invitée sourit. « Tu as de très belles dents. Peux-tu m'expliquer pourquoi tu avais besoin de ton dentiste à Bruxelles, le fameux docteur Berthelot ? » Et la commissaire démissionnaire, à grands renforts de « je vais t'expliquer », s'efforce de plaider la cause de son ex-dentiste, sans s'offenser des percutantes interruptions de Karl Zéro : « On dit qu'il était astrologue, aussi. » Est-ce tout ? Non. Un reporter de l'émission a intercepté sur un trottoir l'auteur des premières révélations sur l'affaire Cresson qui devait conduire à la démission de la Commission. Et stupéfaction : on apprend que lui aussi aurait touché de l'argent d'une de ses sources ! Combien ? Pourquoi ? Cette révélation discrédite-t-elle à son tour les révélations de ce journaliste belge ? La Commission européenne a-t-elle démissionné pour rien ? On n'en saura pas davantage. Ainsi Karl Zéro nous laissera-t-il avec la vague certitude qu'un scandale en cache toujours un autre, dans une succession sans fin, et que tous s'équivalent.

Quelques jours plus tard, sur la même chaîne, Guillaume Durand reçoit Philippe Séguin, secrétaire général du RPR. Pour venir à « Nulle Part ailleurs », le dignitaire politique s'est revêtu d'une magnifique veste caca d'oie, de la plus hilarante modernité. On nous prévient : on va aborder, en compagnie du député des Vosges, l'importante question de la différence entre l'eau de Vittel et l'eau de Contrexéville. Hélas, l'actualité impose d'abord un détour par d'autres sujets secondaires : l'intervention de l'OTAN en Serbie et la mise en congé de Roland Dumas du Conseil constitutionnel. Mais Philippe Séguin piaffe. « Et l'eau de Vittel et l'eau de Contrexéville, vous ne me posez pas la question ? » Guillaume Durand : « On va y venir, mais... » Séguin : « L'eau de Vittel, ça fortifie, mais la Contrex, ça fait plutôt maigrir. » Durand : « On en a besoin, tous les deux. Mais à propos de Chirac et Dumas, il a été écrit partout qu'il y aurait eu une sorte d'échange de bons procédés, le président de la République protégeant Roland Dumas, lequel protège le président dans les affaires de la mairie de Paris... » On frémit : Séguin va-t-il confirmer l'accord secret ? Mais non. M. Vittel-Contrex prend la question avec bonhomie : « Ce n'est pas sérieux ! » Et de passer à autre chose. Un interrogatoire instauré sous ces auspices pouvait difficilement déboucher sur un scoop.

Sous l'influence de Canal+, qui impulse incontestablement depuis quelques années les tendances du moment, bien des médias ont adopté ce mode de censure particulièrement pervers : la noyade immédiate de toute information subversive dans un océan d'eau tiède. Comme si l'on était passé d'une censure à la manière ORTF, une censure du « ferme ta gueule », à une censure du « cause toujours » consistant à noyer le scandale entre la pub et la météo : restez à l'écoute, dans quelques instants, après ces quelques écrans publicitaires, vous verrez comment notre équipe n'a pas réussi à pénétrer dans la banque suisse. Plus sophistiqué encore, la technique consistant à étouffer l'information sous le poids de ses propres développements, de ses propres métastases, de la glose qu'elle suscite. Chez quel bottier, les chaussures à onze mille francs ? Tout de suite, un reportage chez le bottier pour le « 13 heures », une interview de la vendeuse, les réactions des clients, un historique sur les chaussures orthopédiques.

Ai-je jamais été, dans ma carrière, censuré ? M'a-t-on jamais opposé le fameux « esprit du *Monde* » ? Je tente de me souvenir. Je cherche. Une poignée de fois en quinze ans, je fus formellement convoqué dans le bureau du directeur – ou du directeur de la rédaction – du journal. On m'y fit des remarques, on me reprocha parfois d'avoir manqué de nuances, ou forcé l'ironie et blessé tel ou tel qui s'en était plaint. Je m'en suis expliqué, j'ai parfois admis le bien-fondé des reproches, parfois non. J'ai ensuite toujours continué d'écrire ce que je souhaitais. On ne m'a jamais retiré un dossier, ni interdit de traiter tel sujet. Chroniqueur depuis 1992, je bénéficie d'une liberté absolue sur le choix de mon sujet. *Le Monde* a toujours respecté cette liberté-là.

Et avant ? Mes articles, les premières années, furent souvent coupés, remaniés, triturés. À juste titre, neuf fois sur dix. Ils étaient trop longs, mal agencés. Je tremblerais à l'idée de relire aujourd'hui dans leur version originale les papiers que j'osais rendre, les premiers temps, à mes rédacteurs en chef. Un journaliste s'épargnera beaucoup d'énervement inutile en admettant d'emblée l'idée que le lecteur – fût-il son chef – a raison neuf fois sur dix. Si le lecteur ne comprend pas, ou s'ennuie, point d'autre solution que de réécrire.

Mais je n'ai aucun souvenir d'un article coupé « pour des raisons de fond », pour non-conformité avec « l'esprit du *Monde* ».

Sauf une fois. Pendant la guerre du Golfe, le journal m'avait envoyé couvrir les activités du détachement français en Arabie Saoudite. C'était une corvée. L'offensive terrestre n'avait pas encore commencé, et les journalistes français étaient soigneusement tenus à l'écart des troupes, cantonnés dans un hôtel de Riyad. Chaque jour, pour nous occuper, les Saoudiens organisaient à notre intention une visite de bibliothèque ou une course de chameaux. Le reste du temps, nous meublions l'ennui en courant des *briefings* vides du général français aux *briefings* creux du général américain. À tour de rôle, deux fois par semaine environ, nous avions le droit de nous rendre en *pool* dans une unité pour tester le moral des troupes. Au retour, les heureux élus du *pool* faisaient part des informations recueillies à leurs camarades. Tout cela, dans les journaux et sur les chaînes de télévision, inspirait d'édifiants reportages sur l'excellent moral, l'extraordinaire préparation des troupes françaises, auxquelles ne manquait pas un bouton de guêtre, et qui attendaient l'ennemi de pied ferme.

Arrive mon tour. Après d'âpres protestations de mes confrères, l'état-major venait d'accepter que les journalistes puissent s'entretenir seuls avec les officiers et sous-officiers des unités visitées, hors la présence d'un officier du SIRPA (Service d'information et de relations publiques des armées). Donc, on nous emmène rencontrer les pilotes des Mirage français. Nous arrivons. Ils viennent de finir de déjeuner, ils prennent le café. Nous nous asseyons, commençons à évoquer la campagne. Et là, j'essuie un véritable déluge de récriminations sur la qualité des appareils français, de véritables poubelles volantes, des cercueils, rien à voir avec les Tornado britanniques. Éberlué, je gratte, je gratte, je rentre ventre à terre à l'hôtel, pour dicter un article reprenant les récriminations jusqu'alors inédites des pilotes français.

L'article sera publié, mais coupé presque de moitié, et amputé des propos les plus virulents des pilotes. Il donnera lieu, le lendemain, à une mise au point du directeur du SIRPA. J'apprendrai plus tard qu'il a soulevé ce que l'on appelle un « vif débat » à la rédaction du *Monde*. Pour ma part, je continuerai à couvrir la guerre du Golfe jusqu'à la victoire et l'arrivée triomphale des troupes alliées à Koweit City.

J'ai beau réfléchir, je ne vois aucun autre exemple que cet épisode, certes important, mais somme toute compréhensible en temps de guerre. Sans doute ai-je eu la chance d'exercer mon métier en période pacifique, sans enjeux de vie et de mort. Quel journaliste eussé-je été pendant la guerre d'Algérie ? Quelle résistance eussé-je alors opposée à une censure certainement plus implacable que celle que j'ai connue ?

Les journalistes français sont-ils censurés, s'autocensurent-ils ? Plutôt que la connivence, c'est souvent une trop grande proximité avec leur sujet qui affadit leurs enquêtes. Doivent-ils être spécialistes des sujets qu'ils traitent ? Les chroniqueurs religieux doivent-ils connaître les Évangiles ? La réponse n'est pas aisée. Sur l'affaire du sang contaminé, la revue de Pierre Bourdieu[1] a mis en évidence, solides exemples à l'appui, que les journalistes spécialisés écrivirent moins de bêtises que les autres. Mais à l'inverse, les journalistes trop étroitement spécialistes du domaine qu'ils traitent, le nez collé à leur sujet, finissent par ne plus distinguer les anomalies et les dysfonctionnements. Le regard s'embrume. La réalité se voile. Les mêmes journalistes médicaux ne furent-ils pas, à l'occasion de cette affaire, trop proches du milieu médical ? Si le sport avait été exclusivement « couvert » par les journalistes sportifs, aurions-nous jamais entendu parler de dopage ? Si l'accident avait été uniquement « couvert » par des journalistes spécialistes du nucléaire, aurions-nous découvert que le nuage de Tchernobyl ne s'était pas arrêté aux frontières de la France ? Peut-on compter sur les chroniqueurs religieux pour nous informer sur la santé du pape ou les finances du Vatican ? Les journalistes qui suivent toute l'année les activités d'un parti politique sont-ils humainement les mieux placés pour rendre compte du scandale financier qui peut éventuellement frapper ce parti ?

Ce silence des spécialistes ne s'explique pas seulement par la volonté de ménager un milieu, ou des intérêts. Mais à la longue, comment ne deviendraient-ils pas un peu myopes ? Un scandale que l'on côtoie chaque jour, depuis dix ans, avec lequel on s'est habitué à vivre, comment croire qu'il reste un scandale ? Cette myopie guette chacun d'entre nous. Tous les journalistes politiques reçoivent ainsi chaque jour des

---

1. *Actes de la recherche en sciences sociales, op. cit.*, mars 1994.

communiqués politiques postés de l'Assemblée nationale, ou du siège de tel ou tel ministère, autrement dit
indûment facturés au contribuable. Que faire ? Faut-
il systématiquement dénoncer cette pratique ?
Convient-il de s'en indigner chaque jour, dans
chaque article ? L'accepter, n'est-ce pas se faire le
complice de délits minuscules touchant au financement occulte des partis politiques ?

Cette autocensure-là, la plus grave, la plus quotidienne, est faite de compromission diffuse, d'aveugle-
ment, mais aussi de la terrible puissance de l'habitude. N'en suis-je pas moi-même victime ? Après
quatre ans de dénonciation hebdomadaire des faux
directs, des plans de coupe mensongers et des micro-
manipulations de l'image, « Arrêt sur images » n'est-il
pas pris à son tour dans le piège de la dénonciation
rituelle ? Comment entretenir en soi le feu permanent
de la révolte, sans que l'expression de cette révolte
devienne un procédé de vieux acteurs ? Continuer à
dénoncer, c'est courir le risque de lasser les téléspectateurs, qui ont compris notre propos. Renoncer,
c'est laisser le champ libre aux manipulateurs.

Au fond, ne risquons-nous pas d'être nous-mêmes
victimes de la pire des censures, la plus implacable, la
censure par paresse intellectuelle ? Car les informations les plus indésirables par le système ne sont pas
celles qui gênent, mais celles qui ennuient, ou dont les
journalistes présupposent qu'elles ennuiront leur
public.

On ne censure plus ce qui est dérangeant, mais ce
qui est ennuyeux. L'Afrique ennuie avec ses fléaux
sans solution : zappons l'Afrique ! Absconses, abs-
traites, les questions monétaires ennuient : zappons la
monnaie ! L'aménagement du territoire ennuie : zap-

pons les débats parlementaires sur l'aménagement du territoire ! Mais les scandales, les rivalités personnelles, l'affaire Monica Lewinsky, les piscines des riches, l'arrestation d'un pédophile : voilà de la bonne matière à émissions !

À ces motifs actuels de censure la télévision ajoute une forme qui lui est propre : la censure par absence d'images. Une famine ici, une catastrophe là : si le système est parvenu à produire des images et à les transmettre au monde, elles pourront faire le cas échéant l'ouverture du « 20 heures » ; sinon, les malheureux morts sans caméras seront morts deux fois. Il est évident qu'une émission télévisée de critique des médias comme « Arrêt sur images » est aussi victime de ce type de censure par l'absence d'images. Comment critiquer... l'absence d'images sur les autres chaînes de télévision ? Depuis quatre ans, cette incapacité est sans doute la borne la plus cruelle à notre exercice, la plus implacable contrainte du média.

Reste que les exigences et les lois du spectacle sont aussi les meilleures alliées de la liberté d'enquêter. Tel n'est pas le moindre paradoxe d'un système en folie, contradictoire et captivant, qui semble chaque jour davantage décourager, en même temps que l'analyse, les tentatives de contrôle.

Épilogue

Cher Pierre Bourdieu,

Quel singulier destin que le vôtre, ces dernières années ! C'est en fustigeant les médias que vous êtes devenu, sur le tard, une vedette omniprésente des médias, dépassant en notoriété les Lacan, Foucault et Barthes, qui, de leur vivant, dominaient la scène. C'est en vous que s'incarne aujourd'hui la ruse de cette société du spectacle qui n'aime rien tant que transformer ses imprécateurs en pantins. « Circulation circulaire de l'information », « champ journalistique » sont ainsi devenus des clichés de médias. Chaque jour des journalistes qui ne vous ont pas lu se réfèrent à vous. Triomphe du malentendu : ces mêmes médias vous ont, une fois pour toutes, figé en Grand Imprécateur, confirmant vos critiques pour votre plus grande gloire, et à votre détriment. Balayés l'*habitus*, le capital symbolique, la distinction, tous ces concepts forgés au long d'une carrière de sociologue. Il ne manque plus, pour que la dérision soit complète, que votre propre Guignol. Prendrez-vous un jour cet étrange phénomène comme sujet de réflexion et de recherche ?

Quant à moi, je vais poursuivre mon chemin de journaliste c'est-à-dire continuer à marcher vers ce scintillant mirage : la Vérité. Oui, vos interpellations m'ont aidé à « prendre conscience » des contraintes qui pèsent sur moi. Mais je vais vous décevoir : je ne prétends pas pour autant m'en « libérer », les cahiers au feu, la maîtresse au milieu, comme vous y incitez mes confrères. D'ailleurs, que signifierait cette « libération » ? Devrais-je chercher à écrire long, compliqué, et à rebuter les lecteurs ?

Vous postulez l'asservissement, je postule la liberté. Ma liberté de journaliste, comme la liberté des lecteurs ou des téléspectateurs à consommer ou non ce qu'on leur offre, à y trouver leur compte, à savoir s'en détourner, à exercer leur esprit critique. Tout au plus faut-il leur entrouvrir la porte, confiant dans leur capacité à s'y engouffrer.

Oui, le journalisme comporte de nombreuses contraintes. Mais je n'en ai pas honte. Elles définissent mon métier, comme d'autres contraintes définissent le vôtre, dont vous savez d'ailleurs si bien vous affranchir. Je n'en ai pas honte, mais je dois simplement à tout instant me garder de les considérer comme naturelles.

Faire court, rapide, distrayant et percutant, ce ne sont pas des réflexes naturels, ce sont des choix, chaque jour librement renouvelés – ou refusés. Au fond, je ne revendique rien d'autre qu'un droit d'inventaire, personnel, arbitraire, fondé sur mon tempérament, mon expérience et mes présupposés. Faire court, mais sans défigurer le réel. Être percutant, mais sans insulter l'intelligence de ceux qui lisent ou regardent. Pointer « les trains qui arrivent en retard », mais sans oublier de dépeindre « aussi » la paisible réalité quotidienne. Faire à mon rythme, refuser la dictature de l'urgence, préférer une information complète à une information rapide, mais sans mépriser les frénétiques exigences du « temps médiatique ».

Et si, petit soldat du « métajournalisme », je tente d'appliquer toutes ces techniques du journalisme au pouvoir médiatique lui-même, ce n'est pas par détestation de ce métier. C'est au contraire parce que je l'aime tant que je le crois capable de trouver son salut dans cet étonnant rétablissement : se prendre lui-même comme objet d'investigation.

Merci, Pierre Bourdieu, de m'avoir donné l'occasion de réaffirmer cet amour-là.

Table

Achevé d'imprimer en juin 1999
sur presse Cameron
par Bussière Camedan Imprimeries
à Saint-Amand-Montrond (Cher)
pour le compte de la Librairie Arthème Fayard
75, rue des Saints-Pères, 75006 Paris

35-57-0598-02/9

ISBN 2-213-60398-7

Dépôt légal : juillet 1999.
N° d'Édition : 6778. – N° d'Impression : 992882/1.
Imprimé en France